N

Après quinze années passées chez M6, Nicolas Beuglet a choisi de se consacrer à l'écriture de scénarios et de romans. *Le Cri* (2016), *Complot* (2018), et *L'Île du diable* (2019), ont paru aux éditions XO. Il vit à Boulogne-Billancourt avec sa famille.

L'ÎLE DU DIABLE

NICOLAS BEUGLET

L'ÎLE DU DIABLE

MIXTE
Papier issu de
sources responsables
FSC™ C003309

Pocket, une marque d'Univers Poche,
est un éditeur qui s'engage pour la préservation
de l'environnement et qui utilise du papier fabriqué
à partir de bois provenant de forêts gérées
de manière responsable.

© XO Éditions, 2019
ISBN : 978-2-266-30759-8
Dépôt légal : septembre 2020

À ma femme Caroline
et nos deux descendantes,
Juliette et Eva.

Dans les livres précédents

Dans *Le Cri*, l'inspectrice norvégienne Sarah Geringën enquête sur la mort mystérieuse d'un patient de l'hôpital psychiatrique de Gaustad à Oslo. Au cours de son périple, elle fait la rencontre du journaliste français Christopher Clarence. Elle l'aide à sauver le jeune Simon, que Christopher venait d'adopter. Durement mis à l'épreuve, Sarah et Christopher tombent amoureux. Pour Sarah, c'est inespéré. Tourmentée depuis toujours par une culpabilité dont elle ne connaît pas l'origine, elle ne croyait plus avoir droit au bonheur.

Dans *Complot*, dont les événements débutent un an après ceux du *Cri*, le couple a emménagé ensemble et Sarah croit avoir trouvé un peu de sérénité auprès de Christopher et Simon, quand elle est appelée d'urgence sur une scène de crime hors du commun. On lui demande d'enquêter sur l'assassinat de la Première ministre du pays. Elle met alors au jour un complot millénaire et révèle la façon dont certains hommes sont parvenus à confisquer le pouvoir aux femmes à travers les âges. Malheureusement, dans la confusion des derniers instants de son enquête au Vatican, elle est accusée d'avoir assassiné le pape. Incarcérée, Sarah se renferme sur elle-même et va jusqu'à rejeter Christopher, pour éviter qu'il gâche sa vie à l'attendre.

L'Île du Diable commence un an après cet emprisonnement...

1

Sarah ouvrit les yeux et fixa le plafond de sa cellule. D'où provenait ce bruit qui l'avait tirée de son sommeil ? Le cerveau engourdi par les molécules d'anxiolytiques, elle se redressa maladroitement sur sa couchette et regarda autour d'elle.

Une lueur morne irradiait du néon du couloir jusque sous la porte blindée et, avec la même luminosité blafarde, son réveil indiquait 5 h 53 du matin. Au loin, le vrombissement fatigué de la ventilation, une toux précédant le grincement d'un sommier usé et, dehors, la complainte étouffée du vent qui frottait entre les barbelés des remparts. Tout semblait normal.

La journée qui s'annonçait était certes particulière pour elle. Aucune raison que la prison et les trois cents autres détenues changent leurs habitudes.

Sarah suspendit sa respiration. Son ouïe à l'affût venait de saisir l'onde singulière qui différait de la familière litanie pénitentiaire. Diffuse, à peine perceptible, elle n'en était pas moins flagrante, maintenant qu'elle en devinait l'origine : le quartier des gardiennes. Des voix, bourdonnantes, nerveuses.

Elle repoussa ses couvertures et déroula la plante de ses pieds sur le sol glacé. Elle contourna le cabinet de toilette d'où s'échappait une âcre odeur d'urine, suivit le coin du lavabo de sa main et se posta devant la lourde porte verte, les yeux à hauteur du judas. La rumeur mouvementée était désormais plus distincte.

Sarah colla son oreille sur le métal froid de la porte et, cette fois, elle en fut certaine, quelqu'un approchait. Au cliquetis rythmé du trousseau de clés qui frappait contre sa ceinture, la démarche de l'individu était hâtive. Précipitée même.

Et soudain, les deux coups réglementaires résonnèrent dans la cellule. Suivirent les claquements des clés dans la serrure et le grincement des gonds. La porte s'ouvrit sur la découpe massive de la gardienne en chef.

— Sarah Geringën, habille-toi.

La lumière blanchâtre du couloir avait surgi dans la cellule avec autant d'agressivité que l'ordre qu'on venait de lui jeter à la figure.

— Pourquoi ? rétorqua Sarah en fixant la femme dans les yeux. Ma sortie est programmée à 8 heures du matin. Il n'est même pas 6 heures.

La gardienne, boudinée dans son uniforme, frotta son double menton comme si elle venait d'être piquée par un insecte.

— Il y a quelqu'un qui veut te voir.

— Qui ?

— Je ne sais pas et j'ai mieux à faire que de répondre à tes questions.

Sarah avait scruté son interlocutrice comme elle l'aurait fait jadis en interrogeant un suspect. Son empressement, son autorité zélée et ses gestes nerveux trahissaient l'inconfort.

Cette femme était mal à l'aise. Soit parce qu'elle n'était pas d'accord avec l'ordre qu'on lui avait demandé d'exécuter. Soit parce qu'elle avait peur de révéler à Sarah l'identité de son visiteur.

Les deux femmes dépassèrent les portes blindées derrière lesquelles sommeillaient les âmes noires des autres détenues. De leurs cellules émanaient des effluves de javel qui étouffaient avec peine les odeurs de transpiration.

— Plus vite !

Cette entorse à l'emploi du temps perturbait la préparation mentale à laquelle Sarah s'était soumise en vue de ce jour exceptionnel, celui de sa libération. Dès qu'elle aurait mis un pied en dehors du centre pénitentiaire d'Oslo, elle serait assaillie par les journalistes. « Êtes-vous soulagée d'avoir été acquittée dans l'affaire du Vatican ou en colère après un an derrière les barreaux ? » « Qu'envisagez-vous de faire maintenant ? » Elle garderait le silence, incapable de répondre. Parmi la foule des curieux, elle apercevrait peut-être Christopher, mais ne céderait pas à la tentation de le rejoindre. Sa mère et sa sœur voudraient la serrer dans les bras, et son père se tiendrait comme toujours à l'écart. Arrivée à la maison parentale, elle leur servirait ce qu'ils voulaient entendre : le bonheur d'être enfin libre.

— On va où exactement ? demanda Sarah.

— Dans le bureau du directeur.

— C'est lui qui a demandé à me voir ?

— Il te le dira lui-même.

La surveillante frappait déjà à la porte de la direction.

— Entrez ! répondit une voix crispée.

Sarah gonfla ses poumons, vérifia l'ancrage de ses pieds dans le sol. Elle reconnut immédiatement le directeur des services pénitentiaires qui se levait de son bureau pour lui tendre la main, mais elle s'immobilisa. Une seconde personne se trouvait dans la pièce.

— Je n'ai pas besoin de vous présenter Stefen Karlstrom, dit le petit homme à lunettes.

Épaules carrées, entre quarante-cinq et cinquante ans, le crâne rasé, le directeur de la police d'Oslo avait fait un pas vers Sarah.

— Je… suis heureux de te voir, commença Stefen.

En l'espace d'une année, Sarah avait perdu dix kilos et ce qui était naguère de la minceur avait pris la dérangeante apparence de la maigreur. Elle n'arborait plus sa queue-de-cheval, mais une coupe courte et désordonnée qui faisait ressortir ses yeux d'un bleu glacial. Que restait-il de sa redoutable camarade de combat, qu'il avait côtoyée dans les forces spéciales ? Qu'était devenue l'inspectrice solide qu'il avait dirigée pendant près de dix ans ?

— Pourquoi es-tu là ? lui demanda Sarah.

— Assieds-toi, je t'en prie, suggéra-t-il.

Sarah n'aimait pas ce cérémonial. Tout était trop lent, trop solennel. Elle obtempéra pour en finir.

Stefen parla comme s'il récitait une leçon trop fraîchement apprise.

— Je n'ai malheureusement pas une bonne nouvelle à t'annoncer.

Sarah ne cilla pas.

Le directeur fit grincer le cuir de son fauteuil en changeant de position.

— C'est à propos de ton père, lâcha Stefen. Il nous a quittés…

La voix de Stefen se délita dans un silence aussi épais que les murs de la prison.

Sarah refusa l'information. Cette nouvelle n'avait rien à faire dans le programme qu'elle s'était fixé pour la journée.

— On a appris sa mort cette nuit…, reprit Stefen.

Cette fois, le mot « mort » la frappa, mais la peine ne fut pas immédiate. Elle avait grandi à côté de ce père, sans jamais vraiment le connaître. Quand il travaillait encore et que sa sœur et elle étaient des petites filles, ses reportages de guerre le menaient au bout du monde. Lorsqu'il rentrait, il ne parlait que très peu et ne participait pas à la vie de famille. Depuis sa retraite, il était une présence calme et toujours distante. Un être déjà absent de son vivant. Intellectuellement, sa mort était presque un non-événement. Mais au fond de son cœur, Sarah sentit une fissure et, malgré elle, sa gorge se serra.

— Et pourquoi c'est toi qui viens me l'annoncer ?

Stefen rassembla ses mains et laissa échapper un profond soupir.

— Parce qu'il a été assassiné.

Le cerveau de Sarah s'électrisa, libérant l'adrénaline qui se propagea dans tout son corps. Il lui sembla soudain qu'elle émergeait d'un long sommeil.

— Assassiné ? Mon père ?

Stefen hocha la tête.

— Sarah, je suis tellement désolé, je…

— Ça n'a aucun sens. Aucun !

Le directeur de la police caressa son crâne dégarni.

— Je sais que c'est difficile à croire.

— Et ma mère ? demanda Sarah soudain tremblante.

— Elle va bien. Elle n'était pas chez elle lorsque c'est arrivé : elle a passé la nuit chez ta sœur, elles devaient venir ensemble à ta sortie de prison.

— Mais ce n'est pas possible… Qu'est-ce qu'il s'est passé ?

— Une voisine était sortie promener son chien, il s'est mis à aboyer devant le portail de tes parents et elle n'a pu l'empêcher de monter jusqu'à la maison. Elle a couru et l'a rattrapé au pied de l'escalier. La porte avait été fracturée. Personne ne répondait à ses appels. Elle a immédiatement alerté la police. Il était 22 h 30. La patrouille dépêchée sur les lieux a découvert le cadavre de ton père dans son bureau à l'étage.

Sarah réprima un haut-le-cœur.

Stefen approcha une main vers son épaule, mais elle l'écarta.

— De quoi est-il mort ?

— On ne sait pas encore… Les équipes scientifiques sont sur place. La porte d'entrée a été forcée, c'est tout ce que l'on sait.

— Un cambriolage qui a mal tourné, murmura Sarah.

Stefen avait l'air de chercher ses mots. Sarah guettait ses lèvres, prête à saisir le premier son qui en sortirait. Il la regarda droit dans les yeux.

— Sarah, l'état dans lequel on a retrouvé ton père ne peut pas être le résultat d'une bavure de cambrioleur. Pas avec cette mise en scène.

2

Le 4×4 BMW siglé du blason de la police norvégienne fendait la route en projetant des brassées de
feuilles mortes. La sortie anticipée de prison avait au
moins permis à Sarah d'échapper à l'assaut des journalistes qu'elle appréhendait. Dans l'habitacle feutré,
l'inspectrice laissa retomber sa nuque sur l'appuie-tête.

Au loin, Sarah reconnut la colline de Gaustad et le
chantier de reconstruction de l'hôpital psychiatrique.
Sa cicatrice à l'œil droit la picota et l'enfer de l'incendie qui avait ravagé le bâtiment lui revint en mémoire.
Pourvu que plus jamais elle n'ait à franchir les portes
d'un tel lieu. Stefen osa interrompre le silence :

— Tu veux que l'on s'arrête pour acheter quelque
chose à grignoter ?

— Je te remercie, répondit Sarah en se retournant
vers lui.

Elle remarqua alors l'alliance à son annulaire.

— Et vous avez un enfant ? demanda-t-elle.

— Quoi ?

Elle désigna la bague du menton.

Stefen sembla gêné.

— Non, pas encore. C'est récent, tu sais. On s'est mariés il y a cinq mois.

— Je suis contente pour toi.

Le silence retomba.

Alors qu'ils approchaient du fjord, l'air se fit plus humide et des doigts de brouillard émergèrent des fossés pour effleurer la carrosserie.

— Stefen, qui est en charge de l'enquête ?

Le commandant de police se rongea la pulpe du pouce avant de répondre.

— Si ça ne tenait qu'à moi, je te l'aurais confiée. Mais tu sais très bien que ça ne passera pas au niveau administratif. Le procureur n'acceptera jamais de…

— N'imagine pas une seconde que je vais rester les bras croisés pendant qu'un collègue enquête sur l'assassinat de mon père.

— Je sais… et c'est pour cela que j'ai mis en place une configuration spéciale.

— C'est-à-dire ?

— Officiellement, tu ne seras pas en charge de l'affaire. J'ai nommé quelqu'un d'autre. Un jeune diplômé prometteur, mais qui te laissera toute latitude pour conduire l'enquête dans la coulisse.

— T'en es sûr ?

— Je l'ai recruté moi-même.

— Et si quelqu'un le balance ?

— Je lui ai assuré que je le couvrirais, et je le ferai.

— Et le reste de l'équipe ?

— J'ai mis sur pied une toute petite unité pour limiter les risques de dénonciation. Le légiste, tu le connais, c'est Thobias Lovsturd.

Sarah se rappela le lien de bienveillance qu'elle avait noué avec ce vieux légiste un peu loufoque lorsqu'elle avait enquêté à l'hôpital de Gaustad. Elle était certaine qu'il lui serait loyal.

— En ce qui concerne le versant scientifique de l'enquête, je l'ai confié à une petite jeune qui débute. Tu es un modèle pour elle. Elle sera muette comme une tombe. Et puis, je la couvrirai aussi en cas de pépin.

Sarah mesura les risques que Stefen prenait pour elle.

— Merci, dit-elle.

— Fais en sorte d'être discrète, et sois prudente, c'est tout ce que je te demande. Ce qu'on a fait à ton père, c'est de la haine à l'état brut.

Alors que les paroles de Stefen résonnaient dans sa tête, Sarah reconnut les premières propriétés du quartier de ses parents. Elle se mit à les compter une à une, comme elle en avait l'habitude, enfant, à chaque retour de week-end, le visage collé contre la vitre. Les vieux chênes qui jadis étaient ses amis laissaient aujourd'hui pendre leurs branches dépouillées comme autant de membres difformes. Elle poursuivit son décompte jusqu'à ce que la brume se teinte d'une lueur bleutée. Celle des gyrophares.

Et c'est là qu'elle la vit, juchée sur une butte, l'ombre de sa carcasse massive s'avançant vers eux : sa maison d'enfance, celle sur laquelle jamais elle n'aurait imaginé que les phares de la police viendraient un jour projeter leur funeste danse.

Sarah sursauta. La portière côté conducteur venait de claquer. Stefen était déjà dehors, relevant le col de sa parka sur sa nuque rasée. Elle quitta à son tour la tiédeur de la voiture.

L'odeur de terre humide et le froid qui piquait sa peau réveillèrent ses sens engourdis. Elle s'avança vers le portail devant lequel on devinait la silhouette d'un officier en faction.

Il salua son supérieur de son bras valide, l'autre étant dans le plâtre.

— Officier Koll, je vous présente l'inspectrice Sarah Geringën, dit Stefen.

Le garde la salua d'un bref signe de tête et souleva un peu trop vite le bandeau jaune et noir qui scellait l'entrée de la propriété.

Stefen sembla vouloir ajouter quelque chose. Mais désormais, rien n'était plus urgent pour Sarah que d'entrer dans la maison.

Dans le silence du petit matin gris, les crissements de leurs semelles sur le gravier blanc de l'allée résonnaient contre la muraille de brouillard qui les encerclait. La brume était si dense qu'il fallut quelques secondes à Sarah pour discerner les lignes du grand noyer qui de tout temps avait dominé la maison. Cet arbre noueux dans lequel elle grimpait avec sa sœur et s'inventait des histoires de pirates et de pays où les enfants sont des héros. Et son père lui apparut, ratissant les feuilles mortes, tandis que sa mère les appelait à table.

— Sarah... ça va ?

Elle resta muette et reprit sa marche.

La porte d'entrée était entrebâillée. Sarah allait la pousser quand on la retint par l'épaule. Immédiatement, elle saisit le poignet qui s'était posé sur elle et s'apprêtait à le tordre quand elle reprit ses esprits.

Stefen la fixait avec un air d'inquiétude et de peine mêlées. Gênée, Sarah relâcha sa prise.

— Tu n'es plus en prison…

Sarah s'excusa d'un signe de main.

— N'oublie pas ça, dit Stefen en lui tendant une paire de gants en latex et des surchaussons.

Dans l'entrée, la console en pin blanc était à sa place et le lustre déployait sa lourdeur menaçante. Sarah posa un pied sur la première marche de l'escalier et l'une des lattes grinça. Cette planche que sa mère ne cessait de demander à son père de réparer tandis qu'il passait ses journées dans son jardin ou seul dans son bureau. Elle continua à monter. Son nœud à la gorge et au ventre se resserra. De moins en moins d'air parvenait à ses poumons. Arrivée à l'étage, elle était essoufflée.

Stefen l'attendait déjà au bout du couloir, devant une porte. Celle du bureau de son père d'où s'échappait une lumière clinique.

Elle s'appuya contre un mur. Stefen esquissa un geste pour venir à son aide, mais Sarah leva la main. Elle affûta sa volonté, banda ses muscles et retrouva une démarche qui rappelait celle que ses collègues lui connaissaient : calme, mais déterminée. Stefen lui tendit un masque à gaz.

— Nous n'avons pas encore les résultats des premiers prélèvements… Tu vas comprendre pourquoi on est prudents.

Interloquée, Sarah enfila le masque et ajusta les sangles.

3

Sarah n'était pas revenue dans cette pièce depuis longtemps, mais il lui sembla que rien n'avait changé. Le majestueux bureau en chêne laqué trônait tel un autel d'église devant la haute fenêtre en demi-lune. La bibliothèque murale était emplie d'ouvrages d'histoire, et l'odeur de cire flottait pieusement dans la pièce. Les filles n'étaient jamais invitées à rejoindre leur père dans ce sanctuaire où il s'isolait parfois pendant des heures, mais Sarah y était entrée quelques rares fois, toujours en cachette, et elle s'y était sentie comme dans un cocon protecteur.

Aujourd'hui, des spots sur pied figeaient la pièce dans un éclat médical. Deux personnes se trouvaient dans le bureau. La technicienne de la police scientifique était dissimulée sous sa combinaison intégrale. Le légiste, les cheveux recouverts d'une charlotte et un masque fixé sur le visage, se tenait accroupi, une mallette d'instruments médicaux ouverte à ses côtés.

— L'inspectrice Geringën est là, lança Stefen.

Le médecin légiste déplia son corps avec difficulté pour se redresser.

Il fit un signe amical à Sarah, qui n'eut pas le temps de répondre. Plus rien n'entravait sa vue et la violence de la scène la figea de stupeur.

Le cadavre était allongé au sol, sur le dos, nu, mais entièrement recouvert d'une poudre blanche. Cette étrange poussière gommait en partie les rides de cet homme âgé dont la peau distendue semblait accrochée aux os comme du plastique fondu.

Sarah respirait par saccades. Plus ébranlée qu'elle ne le pensait, elle réajusta le masque devant ses yeux pour s'octroyer un bref répit.

— Ça va aller ? lui demanda Stefen.

Sarah hocha la tête, mais elle eut la respiration coupée en découvrant les membres de son père. Les extrémités des doigts et des orteils étaient boursouflées, l'épiderme si gonflé par endroits que des bulles de sang menaçaient de crever tandis qu'à d'autres la gangrène s'était déjà déclarée, envahissant les tissus de sa mort noire aux émanations de pourriture.

Lorsqu'elle découvrit le visage sur lequel elle avait évité de poser le regard, le choc fut plus brutal encore. Sous le dépôt d'albâtre, c'étaient les traces d'un insupportable supplice qui défiguraient celui qui avait été son père : les commissures des lèvres étaient déchirées et le sang avait coagulé en grumeaux marronnasses... Mais le pire, c'était cette épouvante dans les yeux morts de son père, qui n'était plus qu'une grimace statufiée d'effroi.

Sarah s'adossa à un mur et s'accroupit. Les mains jointes, elle n'arrivait pas à croire ce qu'elle avait vu et était encore moins certaine d'en supporter le souvenir.

— Sarah…, commença Stefen qui s'était agenouillé à sa hauteur. Sortons d'ici.

— Thobias, la cause de la mort ? parvint à articuler Sarah en s'adressant au légiste.

— C'est bien le problème…, commença-t-il. Aucune des blessures apparentes n'a pu provoquer la mort. Je ne sais pas encore ce qui a arrêté le cœur. La seule chose qui…

— C'est quoi cette poudre blanche ?

— Les analyses sont en cours. Nous craignons que ce soit du *Bacillus anthracis*, de l'hydrazine ou de la phénarsazine chloride. Cela pourrait alors orienter le diagnostic. Enfin, ne nous emballons pas, rien de sûr.

— Des traces du ou des assassins ? Quelque chose ? demanda Sarah en interpellant la technicienne scientifique debout devant la fenêtre et qui venait de déposer un fil de tapis dans un flacon.

Une voix plutôt jeune lui répondit dans une sonorité étouffée.

— Pas pour le moment. Mais nous n'avons pas encore procédé aux analyses sur les échantillons prélevés.

Sarah se retourna vers le légiste, les poings serrés, la respiration de plus en plus courte.

— Vous alliez dire que la seule chose qui…

— Oui, votre pè… la victime présente des lésions sur la partie supérieure du larynx et l'entrée de l'œsophage. Quant à son estomac, il m'a paru très tendu à la palpation. Ce qui laisse supposer que la victime a été contrainte d'avaler un corps étranger qui gît dans son système digestif.

Sarah ordonna au légiste de ramener le corps au centre d'expertise médico-légale pour procéder à une autopsie. Refrénant un haut-le-cœur, elle se précipita vers la salle de bains, arracha son masque et vomit dans le lavabo. Lorsqu'elle eut repris son souffle, elle se rinça la bouche et se rafraîchit le visage. Elle s'assit contre la baignoire, la tête entre les mains. Tout cela était absurde. Il ne pouvait pas avoir été tué dans ces conditions. Pas son père. Pas cet homme calme et sans histoires.

— Je peux entrer ? demanda Stefen.

— Et si c'était moi qui étais visée à travers ce meurtre ?

— Pourquoi tu dis ça ?

— Je ne sais pas, je trouve que c'est une étrange coïncidence qu'il ait été assassiné la veille de ma sortie de prison.

— Tu crois que quelqu'un t'envoie un message ou cherche à se venger ?

Sarah haussa les épaules.

— Dans les deux cas, le message devrait être clair pour toi. Y a-t-il quelque chose qui puisse te faire penser à un indice dans cette mise en scène ?

— Non. Rien du tout.

— Ton père avait peut-être…

— Est-ce que tous les criminels que j'ai arrêtés sont encore sous les verrous ? l'interrompit Sarah.

— Oui, et pour un bout de temps.

— Mais pourquoi l'assassin a-t-il agi hier ? Juste avant ma sortie de prison.

— Peut-être tout simplement parce que ton père était seul… C'était plus facile.

Sarah commençait à comprendre qu'elle allait devoir accepter une hypothèse qu'elle avait refusé d'envisager depuis le début. Car elle ne voyait qu'une explication à ce meurtre. Une explication tout aussi effrayante que le visage déformé du cadavre : son père n'était pas celui qu'il prétendait être.

4

— Écoute Sarah, je ne vais pas pouvoir rester, s'excusa Stefen. Mais j'ai encore deux ou trois choses à te dire. Allons dans le salon, nous serons plus tranquilles.

Sarah accepta la main qu'il lui offrait pour l'aider à se relever. Ils descendirent ensemble au rez-de-chaussée. La porte du salon fermée, Stefen lui dit à voix basse :

— Sarah, rien ne t'oblige à t'infliger ça. Tu n'as qu'à me le demander et je mets un enquêteur expérimenté sur l'affaire.

— C'est dur, mais si je reste sans rien faire, ce sera pire.

— OK. Alors tu vas avoir besoin de ceci, poursuivit Stefen en lui tendant un téléphone portable. Le code pin est 0598. Je t'ai préenregistré les numéros dont tu pourrais avoir besoin. Le mien et celui de tes coéquipiers. Prends également cette lampe torche. Évidemment, je ne peux pas te rendre ton arme de service.

Sarah fit glisser le téléphone et la lampe dans ses poches.

— Tu as bien récupéré tous tes papiers à ta sortie ?

— Stefen, tu me prends pour une débutante ? Où est l'enquêteur officiel ?

— Tu l'as déjà vu. C'est l'officier à l'entrée. Il s'appelle Adrian Koll.

— Celui avec le bras dans le plâtre ?

— Je l'ai choisi exprès pour qu'il ne te fasse pas d'ombre et qu'il n'ait pas envie de jouer les héros. Il est juste là pour signer les papiers et faire office de marionnette, d'accord ?

— Il a déjà vu la scène de crime ?

— Oui, bien sûr.

— Alors j'irai lui parler quand le légiste et la police scientifique seront partis.

Le téléphone de Stefen sonna. Il soupira, puis considéra Sarah d'un regard qui exprimait quelque chose de plus que de la bienveillance professionnelle.

— Pense à te reposer quand même et…

Elle sentit qu'il hésitait à lui dire autre chose. Il allait poser sa main sur son bras, mais il se ravisa. Il la regarda une dernière fois, puis décrocha son téléphone et sortit de la pièce.

Seule sur le canapé, Sarah ne put réprimer l'envie de parler à sa mère. Elle composa son numéro et, lorsqu'elle entendit le « allô » tremblotant, Sarah resta sans voix.

— Allô, qui est à l'appareil ? répéta sa mère.

Sarah ferma les yeux. Étranglée de peine, incapable de prononcer un mot, elle raccrocha.

Accablée, Sarah sortit du salon au moment où le légiste et un ambulancier franchissaient le seuil de la porte d'entrée en poussant une civière. Le cadavre de son père était enveloppé dans un fourreau noir. Incrédule, elle suivit des yeux le funèbre cortège qui descendait l'allée de gravier jusqu'à la rue. Arrivé au portail, Thobias Lovsturd échangea quelques mots avec le jeune policier officiellement en charge de l'enquête. Ce dernier signa un registre avant que le corps d'André Vassili soit chargé dans l'ambulance.

Les portes arrière claquèrent et le véhicule disparut dans la brume, sans sirène ni gyrophares.

— Inspectrice Geringën ?

L'officier Koll avait gravi l'escalier du perron sans qu'elle s'en rende compte.

— Oui ?

— Officier Koll, c'est moi qui…

— Stefen m'a expliqué. Laissez-moi encore quelques instants seule, je descends vous retrouver après.

— Bien, comme vous voulez.

Sarah regagna l'étage et s'arrêta au seuil du bureau. Fourmi disciplinée, la technicienne scientifique y poursuivait méticuleusement son travail. Équipée d'un projecteur Polilight et de lunettes jaunes afin de déceler des traces invisibles à l'œil nu, elle dirigeait le faisceau lumineux vers le sol où quelques minutes plus tôt reposait encore le cadavre.

Sarah remarqua qu'elle ne portait plus son masque à gaz.

— J'ai passé la pièce au détecteur de toxiques chimiques par photométrie. Cette poudre blanche ne présente aucun risque, lui dit la policière en lui faisant signe d'entrer.

— Qu'est-ce que c'est ?

— Je ne l'ai pas encore déterminé. Je peux juste vous dire qu'elle n'entre pas dans la liste des substances toxiques.

Sarah observa brièvement le visage de la jeune femme. Trentenaire, brune, avec un air de maîtresse d'école.

— Des indices ?

— Beaucoup d'empreintes digitales, mais il faut encore attendre les comparaisons des dactylogrammes en laboratoire avec les relevés papillaires de la victime. Ainsi que celles des empreintes de chaussures avec celles appartenant à la victime.

— Vous avez déjà inspecté le bureau ?

— Pas encore... Vous préférez que je vous laisse ?

— Non, allez-y.

Sarah traversa la pièce et examina le bureau en chêne. Un bureau éclairé d'une lampe à l'abat-jour orange, avec un sous-main en cuir placé au centre et un stylo-plume à côté. Le seul objet plus personnel était une photo dans un cadre. Sur le cliché, son père, déjà âgé, était souriant, entouré de ses deux filles adolescentes et de sa femme. La photographie avait été prise devant la maison. Sarah s'en souvenait d'autant mieux que son père avait ce jour-là osé leur dire qu'il les aimait. Ce fut la seule fois.

Les larmes à la lisière des paupières, Sarah reposa le cadre et ouvrit un tiroir du bureau. Elle y trouva des pochettes de documents administratifs qu'elle éplucha, assise dans le profond fauteuil de son père. Factures d'électricité, d'eau, d'entretien de la voiture, relevés bancaires et feuilles d'impôt : tout était en règle, aucune dépense n'était suspecte.

Sarah ouvrit le second tiroir et son regard fut immédiatement attiré par une enveloppe blanche marquée des armoiries de la police. Elle en sortit un récépissé de déclaration de main courante, daté du 3 juin 2018. Le plaignant était son père, André Vassili. Sarah parcourut la déposition et n'en crut pas ses yeux.

5

Sarah lut avec empressement l'intégralité de la déclaration :

Le 3 juin, ma femme, Mme Camilla Vassili, a porté atteinte à mon intégrité physique en me frappant au visage à deux reprises à l'aide d'une statuette en bois de la taille d'un poing, entraînant une fracture légère de la mandibule inférieure et un enfoncement provisoire du globe oculaire. Je souhaite signaler les faits.

Sarah était stupéfaite.

Ses parents ne s'entendaient pas, elle le savait, mais jamais elle n'aurait imaginé des scènes de violence physique entre eux. À ses yeux, sa mère n'avait toujours été que douceur. Ce qui à l'évidence était faux. Et c'est sans parvenir à y croire elle-même qu'elle dut inclure sa mère dans la liste des suspects.

Choquée, Sarah glissa la main courante dans un sachet en plastique et le déposa sur le chariot en inox à côté des prélèvements de la technicienne scientifique.

— Rappelez-moi votre prénom ?

— Erika, madame.

— Erika, vous me confirmez que vous avez décelé une trace d'effraction sur la porte d'entrée ?

— Oui, madame.

Sarah réfléchit.

Sa mère n'avait évidemment pas besoin de forcer la porte pour entrer. Mais aurait-elle tenté de maquiller son crime en simulant l'effraction après coup ? Ce n'était pas improbable. Ce qui l'était davantage, c'est qu'elle ait procédé à une telle mise en scène pour tuer son mari.

Sarah referma le tiroir et décida de s'attarder devant la bibliothèque. Après tout, son père passait des heures dans son bureau et Sarah s'était toujours convaincue qu'il lisait. Mais quoi ? Elle passa en revue l'ensemble des livres. D'après les titres sur les dos, il se dessinait un sujet de prédilection : l'entre-deux-guerres et surtout les années 1930. Les rayonnages étaient emplis d'ouvrages consacrés à cette période. Une collection qui montait du sol au plafond et confinait à l'obsession.

Un seul livre n'appartenait pas à ce registre. Sarah le repéra parce qu'il était plus grand que les autres. Elle le reconnut aussitôt. Il s'agissait d'un ouvrage en papier glacé proposant les photos des plus belles piscines du monde. Sarah se surprit à sourire intérieurement en se rappelant que sa mère, sa sœur et elle le lui avaient offert ensemble pour le convaincre de faire creuser une piscine dans leur jardin. Certes, l'idée était saugrenue à Oslo. Il avait de toute façon refusé catégoriquement, expliquant qu'il n'aimait pas l'eau. Ou plutôt, qu'il avait la phobie des eaux stagnantes depuis qu'il avait failli se noyer dans un étang quand il était enfant. Sarah retrouva la dédicace de sa mère, le prénom de sa sœur et le sien tracés d'une écriture encore enfantine, précédés du petit mot : « Pour qu'on s'amuse avec toi ! » Émue, elle replaça le livre dans la bibliothèque, quand le faisceau du Polilight l'éblouit.

— Pardon, il m'a échappé des mains, s'excusa la technicienne scientifique.

Stefen lui avait vraiment mis dans les pattes l'équipe la moins expérimentée et la plus maladroite, se dit Sarah.

— Vous savez, je suis entrée dans la police grâce à vous, confessa la jeune policière en voyant Sarah sur le point de quitter la pièce. Je n'ai pas envie de vous décevoir.

En d'autres circonstances, Sarah aurait peut-être apprécié le compliment de sa collègue. Mais sur une scène de crime, les seuls échanges qu'elle s'autorisait concernaient l'enquête.

— Dites-moi si vous tombez sur quoi que ce soit d'anormal, même si cela ne vous semble pas pertinent.

Sarah franchit le seuil pour sortir du bureau, mais se retourna en éprouvant un sentiment étrange. Son père ne laissait traîner aucune note, aucun travail entamé, aucune trace de son passé de reporter, seulement quelques mornes documents administratifs. S'enfermait-il dans cette pièce juste pour lire au calme ?

Elle poursuivit son inspection de la maison, passant par la chambre qu'elle partageait jadis avec sa sœur, devenue aujourd'hui l'atelier de peinture de sa mère, vidant ensuite avec gêne les tiroirs de la chambre à coucher de ses parents… Elle était en train de fouiller l'armoire à pharmacie à la recherche d'un médicament suspect quand elle entendit la voix de la technicienne :

— Inspectrice !

Sarah s'empressa de rejoindre le cabinet de travail.

— Je n'ai rien trouvé de… flagrant. Mais comme vous m'avez dit de vous tenir au courant de tout, eh bien, j'ai pensé que…

Sarah ne vint pas à son secours, patientant.

— Bref, venez voir.

La policière scientifique se dirigea droit vers le bureau en bois. Elle en fit le tour et s'accroupit.

— Tenez, prenez mes lunettes, dit-elle.

Sarah enfila la monture jaune et posa un genou à terre.

— Regardez sur le premier tiroir. Vous voyez les empreintes digitales sur la poignée ?

Sarah suivit le faisceau du Polilight et vit nettement l'accumulation d'empreintes sur l'anse en métal avec laquelle on ouvrait le tiroir.

— Vous remarquez que l'on ne voit des traces papillaires qu'à cet endroit, poursuivit la jeune policière.

Effectivement, le bois était vierge de toute trace. Sarah attendit la suite.

— Regardez le troisième tiroir, c'est pareil : des empreintes sur la poignée et c'est tout, rien sur la façade. Maintenant, celui du milieu.

Le faisceau lumineux éclaira d'abord la poignée, elle aussi maculée d'empreintes, et balaya ensuite la façade du caisson. Le détail sauta aux yeux de Sarah.

— Vous voyez les empreintes sur le coin gauche ? demanda la jeune femme. Ce n'est certainement rien, mais comme vous m'avez dit de vous parler de tout ce qui était anormal… Il y a de nombreuses empreintes digitales sur le coin gauche. C'est toujours le même doigt, précisa la technicienne scientifique. Toujours le pouce.

Sarah approcha son pouce ganté et appuya à l'endroit des empreintes. Rien. Elle appuya de nouveau, plus fort, et cette fois, le coin s'escamota en émettant un déclic.

— Qu'est-ce que c'était ? s'alarma la jeune policière.

Parcourue par un frisson d'adrénaline, Sarah se redressa. Elle rouvrit le tiroir qu'elle avait déjà inspecté.

A priori, rien de différent par rapport à sa première observation. Les pochettes administratives étaient toujours là. Sauf qu'elles étaient légèrement surélevées : le fond du tiroir s'était hissé de quelques centimètres.

Avec une infinie précaution, Sarah glissa ses doigts gantés dans l'interstice qui s'était formé. Le latex frotta contre la tranche et elle souleva la planche qui dissimulait un double-fond.

6

Pavel s'assura que personne ne le suivait et entra dans l'un des immeubles les plus décrépits d'Oslo. Il gravit l'escalier gonflé d'humidité et ouvrit la porte du studio. Une fois à l'intérieur, il referma à double tour et déposa sur la table en bois un sac rempli de frites, de hamburgers et de sodas.

La chasse d'eau se déclencha au même moment, et un homme sortit des toilettes.

— Ah ! la bouffe, enfin !

L'homme bourru en chemise à carreaux s'attabla. Avachi sur une chaise en plastique, il déballa son repas et croqua à pleines dents dans son sandwich avant de s'attaquer goulûment aux frites.

— Et tu te laves même pas les mains avant ? lui demanda Pavel en le regardant avec dégoût.

Il était plus maigre, et plus vieux aussi que son collègue.

— Parce que tu crois que le type qui t'a préparé ton hamburger, il avait les mains propres ?

L'homme avala une rasade de Coca-Cola et laissa échapper un profond soupir de satisfaction.

— Dire que si on n'avait pas pété le mur de Berlin, on n'aurait jamais connu ce truc-là, lança-t-il en contemplant son gobelet avec admiration. T'en veux peut-être une gorgée, toi ?

L'homme ne s'était pas adressé à Pavel, qui était assis à ses côtés, mais avait tourné sa tête en direction d'un coin de la pièce. Il se leva et avança de son pas lourd.

Une femme était attachée par les poignets au radiateur. Elle ne devait pas avoir plus d'une trentaine d'années, mais la peur avait déformé ses traits. De ses yeux luisants de larmes, elle guettait avec terreur l'approche de son ravisseur.

Ce dernier sortit un couteau et le glissa sous la gorge de la jeune femme.

— Si tu cries quand je t'enlève ton bâillon, je serai obligé d'aller me laver les mains ensuite. C'est compris ?

Elle fit oui de la tête.

Il lui retira le linge qui entravait sa bouche et plaça de force la paille entre ses lèvres. Sans plaisir, par simple instinct, elle aspira le liquide sucré.

— Ça suffit, lança le plus vieux des deux hommes.

— C'est terminé, ma jolie. Et si t'as envie d'aller pisser, tu sais que je me ferai un plaisir de t'accompagner aux toilettes.

— Arrête, ça fait pas partie du contrat.

— On peut s'amuser, non ?

— Non. Ça m'étonnerait.

— C'est qui cette gonzesse ?

— Je n'en sais pas plus que toi. Mais vu combien on a été payés pour la planquer ici, ça ne doit pas être n'importe qui.

— Et on va rester là combien de temps ?

— On facture à l'heure, on s'en fout. Cartes ?

— Cartes.

La captive grimaça de douleur quand on lui replaça le bâillon et le désespoir déforma un peu plus son regard.

7

La planche que Sarah venait de soulever dissimulait un téléphone portable. Elle l'alluma, mais l'appareil lui réclama le code pin. Elle le tendit à Erika, qui se tenait debout à ses côtés.

— Emportez-le au laboratoire et faites-le débloquer au plus vite.

— Oui, madame.

La jeune femme s'empressa de glisser le téléphone dans un sachet en plastique et revint vers le bureau pour poursuivre son travail.

— Erika. Je vous ai dit au plus vite. Faites analyser les empreintes et échantillons que vous avez déjà relevés. En parallèle, lancez le processus d'analyse du téléphone. Et appelez-moi dès que vous avez un résultat.

— Bien… d'accord.

La technicienne rangea son matériel en toute hâte.

Une fois seule, dans le silence monacal du bureau, Sarah se rassit dans le fauteuil de son père, de plus en plus déstabilisée. Cette dernière découverte renforçait l'hypothèse qu'elle redoutait : son père n'était pas l'homme qu'elle imaginait. Elle laissa son regard errer à travers la fenêtre. La danse des arbres ondulant sous le vent la fit frissonner. Bien qu'emmitouflée dans sa parka, elle se sentait frigorifiée. N'avait-elle pas eu tort d'accepter cette enquête ? Cette affaire dont elle s'était emparée comme une chance de garder la tête hors de l'eau n'allait-elle pas au contraire la submerger ? D'autant que cette fois, Christopher ne serait pas là pour lui épargner de sombrer… Elle ne pourrait compter sur personne. Elle était seule. Seule à enquêter sur l'assassinat de son père.

Et elle n'avait pas l'intention de se reposer sur l'officier enquêteur. D'ailleurs, il était peut-être temps qu'elle aille le voir.

L'officier Koll patientait docilement dans l'entrée. Il faisait jeune pour ses trente ans, mais elle lui trouva un regard plus profond et plus intelligent que ce qu'elle avait perçu précédemment, en échangeant quelques mots avec lui. Il était blond, les cheveux coupés court avec juste une mèche un peu souple sur le front, et la générosité émanait de son regard bleu. Il ne dégageait pas cette naïveté qu'elle lui avait initialement prêtée. Plutôt une forme de maturité teintée d'un voile de tristesse que même l'œil entraîné de Sarah n'avait pu repérer à la première rencontre.

— Vous êtes d'accord avec tout ce que Stefen vous a demandé ?

— Oui. Utilisez-moi à votre convenance, je ferai tout pour vous aider, même si je suis un peu limité, dit Adrian Koll.

Il souleva son bras dans le plâtre d'un air navré.

Sarah nota qu'Adrian avait une cicatrice à l'arcade sourcilière. Elle commença à se demander si cet homme n'était pas abonné aux blessures.

— Ça, dit-il en touchant son front, c'était une erreur de débutant, quand j'exerçais un autre métier…

Adrian avait remarqué le coup d'œil que Sarah avait jeté à sa cicatrice.

— Mais je voulais surtout vous adresser… mes condoléances, poursuivit-il.

Le jeune homme avait prononcé ces mots avec empathie et son visage exprimait une sincère affliction.

— Est-ce que vous avez déjà une idée de qui a pu faire une chose pareille à votre père ? hasarda-t-il.

Sarah fit non de la tête, alors que son téléphone sonnait dans sa poche. C'était un appel de l'institut médico-légal.

— Inspectrice Geringën.

— J'ai bien avancé dans l'autopsie, commença Thobias.

— Et ?

Le légiste marqua une pause. Sa voix se fit moins sûre.

— J'aimerais que vous veniez sur place, Sarah. Je ne peux pas expliquer quelque chose d'aussi étrange au téléphone. Il faut que vous voyiez par vous-même.

8

Attablé à son bureau, Stefen raccrocha en plein milieu d'une phrase et invita l'homme debout devant la porte à entrer.

— Dites-moi que vous avez quelque chose !

— Désolé, commandant, nos indics sont secs.

Stefen, qui perdait rarement son sang-froid, ne put contenir sa colère.

— Je ne veux pas entendre ça ! On ne kidnappe pas une femme dans Oslo sans qu'aucun de nos contacts soit au courant, bordel ! Filez des primes, fermez les yeux sur des trafics, faites ce que vous voulez, mais retrouvez-la !

— Commandant, sauf votre respect, ce n'est pas dans les règles de procéder ainsi. Cela risque de conduire à une surenchère des demandes et…

— Vous me ferez virer en me dénonçant dans votre rapport, inspecteur. Mais pour le moment, vous êtes sous mes ordres et vous allez faire ce que je vous dis.

— Pourquoi refusez-vous qu'on diffuse une alerte enlèvement sur les radios et télévisions ?

— Parce que je crains que cette femme y passe si ses ravisseurs apprennent qu'on est à leur recherche.

Le téléphone de Stefen sonna et il décrocha aussitôt.

— Oui ?

— Les traces ADN retrouvées sur le lieu de l'enlèvement correspondent, dit une voix dans le combiné. Elles appartiennent à un dénommé Pavel Roussov. Un type de la mafia russe. Je viens de vous envoyer sa fiche par mail.

Stefen ouvrit le dossier et découvrit le visage de celui qu'il recherchait. Il raccrocha et tourna l'écran de son ordinateur vers l'inspecteur.

— Trouvez-moi ce type. À n'importe quel prix.

9

En silence, Sarah descendit l'allée de gravier avec l'officier. Elle avait le sentiment que la maison de ses parents, dans son dos, la regardait partir, attendant des réponses sur ce qui s'y était passé. Pressant le pas, elle venait tout juste d'ouvrir le portail quand une voix l'interpella.

Les battements de son cœur s'accélérèrent.

Elle se tourna vers la droite et le vit, debout devant la portière ouverte de sa voiture.

À la lueur dans ses yeux, et à son langage corporel qu'elle connaissait par cœur, elle mesura l'effort titanesque que Christopher avait dû faire pour lui adresser la parole. Un peu comme un adolescent qui pour la première fois oserait parler à la fille dont il est éperdument amoureux.

— Adrian, je vous rejoins dans la voiture.

Alors que l'officier Koll s'éloignait, Christopher fit quelques pas vers Sarah. Elle dut se faire violence pour ne pas céder à l'envie d'aller se blottir dans ses bras.

— Qu'est-ce que tu fais là ? demanda-t-elle.

— Je me doutais que tu irais chez tes parents… Mais que s'est-il passé ?

Il désigna les bandeaux jaune et noir barrant l'entrée de la maison.

— Mon père…

Sarah peinait à formuler la suite.

— Il a été assassiné, termina-t-elle.

Christopher blêmit.

— Quoi ? Ton père... Mais… mais qu'est-ce… ?

Une main posée sur le front, Christopher regardait la maison comme si la bâtisse elle-même n'était pas réelle.

— S'il te plaît, n'en dis rien à Simon. En tout cas, pas tout de suite. Pas avant qu'on sache ce qui est arrivé.

Christopher sembla chercher ses mots quand Sarah l'interrompit dans sa réflexion.

— Écoute, je suis désolée, je dois partir.

— Attends, tu ne peux pas t'en aller comme ça. Pas après tout ce temps. Pas après ce que tu viens de m'annoncer. Accorde-nous… juste quelques minutes.

— Je n'ai pas le temps, je dois aller chez le légiste.

Sarah frémit quand Christopher posa sa main sur son épaule. Un peu plus tôt, elle avait failli tordre le poignet de Stefen. Cette fois, elle manqua de poser sa main sur celle de Christopher pour la serrer entre ses doigts. Elle se ravisa au dernier moment.

— Une minute, murmura-t-elle.

Ils s'assirent l'un à côté de l'autre sur un banc du trottoir.

— Comment te sens-tu ? demanda Christopher.

— Tant que je suis active, je tiens.

— Ce n'est pas toi qui vas enquêter ?

Si Sarah avouait à Christopher qu'elle était officieusement en charge de l'enquête, il chercherait à l'aider et, une fois de plus, elle le mettrait en danger.

— Non. C'est le jeune officier là-bas.

— Et tu vas vivre où en attendant ? Chez ta sœur ?

— J'aurais aimé, mais elle est considérée comme un témoin…

— Tu vas rester seule à l'hôtel ?

Sarah comprit que Christopher lui proposait de l'accueillir à la maison, mais elle ne voulait pas lui donner de faux espoirs alors qu'elle n'était pas prête à revenir vivre avec lui.

Christopher le devina à son silence.

— Écoute… Ce que tu m'as dit, dans ce parloir il y a un an, quand tu m'as rejeté sous le prétexte que tu ne voulais pas que je gâche ma vie à t'attendre… Eh bien, sache que stratégiquement, cela a été un lamentable échec.

Christopher lui avait manqué. Il avait cette façon si particulière d'amener les choses que tout échange, même douloureux, était source d'apaisement.

— Je ne t'ai pas apporté des photos de notre maison illuminée des bougies que j'ai allumées avec Simon pour que tu reviennes. Mais bon, sache qu'on t'attend…

Christopher plongea son regard dans celui de Sarah et posa sa main sur la sienne. Elle tressaillit. Ne pas céder, cria-t-elle intérieurement. Elle prit une longue inspiration.

— Ce que je t'ai dit la toute dernière fois que l'on s'est vus, c'était vrai, dit-elle en retirant doucement sa main.

— Tu parles du petit garçon que l'on a retrouvé noyé ?

Elle approuva d'un battement des paupières.

— Je te rappelle que je suis journaliste et que ces derniers mois, j'ai eu le temps d'enquêter sur l'affaire. Et même si je n'ai pas encore réuni toutes les preuves, tout me laisse à penser que tu n'as évidemment pas tué ce petit garçon, contrairement à ce que tu voudrais me faire croire. Alors ma question n'est pas de savoir si tu dis la vérité, mais pourquoi tu continues à me mentir. Si tu ne veux plus de moi, dis-le-moi en face, clairement. Mais ce n'est pas en te faisant passer pour un monstre que tu vas me faire fuir.

Il soutenait son regard bleu de glace. Peut-être le seul homme qu'elle connaissait à oser le faire.

— Dis-moi que c'est fini et je disparais de ta vie.

Sarah tremblait. Le duel qui se livrait en elle était insoutenable. Comme il eût été facile de s'abandonner au bonheur. Mais comme il était malhonnête de faire croire que tout allait mieux.

— Je ne peux pas revenir, balbutia-t-elle.

— Mais pourquoi ?

— À cause de cette foutue culpabilité qui continue de me ronger !

— Quelle culpabilité, Sarah ? se révolta Christopher. Tu sais bien que tu n'as pas tué la papesse au Vatican. La justice l'a prouvé. Et cet enfant, ce n'est pas toi non plus ! De quoi tu parles ?

— De cette culpabilité qui me poursuit depuis toute petite ! Cette certitude d'avoir fait du mal et de devoir réparer la souffrance que j'ai causée.

— À qui donc ?

— Je ne sais pas ! Je ne sais pas. Et c'est pour ça que je fais ce métier, parce que j'espère qu'en aidant toutes ces victimes j'apaiserai peut-être un jour ce sentiment qui me ronge et m'empêche de vivre !

— Sarah, je croyais que tu en avais fini avec ça...

— Je le croyais aussi, mais ça revient sans cesse. C'est là, tapi au fond de mes entrailles, et ça tourne, attendant son heure. Et tant que ce sera là, jamais je ne pourrai être heureuse, et jamais je ne pourrai te rendre heureux. Ni toi ni Simon. Pire encore, je vous entraînerai dans mes angoisses et détruirai votre vie. Et ça... plutôt mourir.

Christopher rattrapa par le bras Sarah, qui se levait.

— Je suis tellement désolée, lâcha-t-elle en repoussant délicatement la main de Christopher.

Sarah lui tourna le dos, dévastée de faire souffrir celui qu'elle aimait, et se dirigea vers la voiture où Adrian s'était installé sur le siège passager. Le cœur lourd, elle se mit au volant et démarra sans un mot.

Sarah alluma les feux de brouillard alors qu'ils rejoignaient la route longeant le fjord.

Contrairement à tous les collègues avec lesquels elle avait pu collaborer, Adrian Koll ne chercha pas à faire la conversation. Le jeune officier prenait des notes dans un carnet et le silence n'était troublé que par le frottement des pneus sur le bitume et celui de la pointe du crayon sur la feuille. Soit il avait été briefé par Stefen, soit il était de nature taiseuse.

— Vous avez déjà travaillé sur une enquête criminelle ? demanda-t-elle finalement.

Adrian ferma son calepin et répondit d'une voix calme :

— Non...

— Vous avez quel âge ?

— Trente-deux ans.

— Vous êtes dans la police depuis combien de temps ?

— Quatre mois. Sans compter ma formation d'inspecteur.

Stefen lui avait vraiment refourgué un bleu.

— Et on ne vous avait encore jamais confié une enquête ?

— Non, mais j'ai beaucoup appris en observant les dépositions de suspects et de témoins. Et puis j'ai suivi quelques collègues sur le terrain.

— Et vous faisiez quoi avant ?

— Je travaillais chez un garagiste Volvo.

— Et pour quelle raison vous avez arrêté ?

— Quand les Chinois ont racheté l'entreprise, ils ont fermé pas mal d'enseignes. Ils m'ont proposé de me muter en Suède, mais je n'ai pas voulu.

— Pourquoi ? demanda Sarah.

Adrian baissa les yeux, comme gêné, et gratta sa cicatrice au-dessus de l'œil.

— Mon père est mort il y a deux ans et c'est moi qui m'occupe de ma mère. Elle vit ici, dans le quartier de Torshov. Je ne pouvais pas la laisser seule.

En écoutant Adrian, Sarah se rendit compte à quel point elle souffrait de ne pouvoir consoler sa mère et la prendre dans ses bras.

— Et donc, pourquoi la police ? demanda-t-elle en se ressaisissant.

— Eh bien parce que, justement, je crois que j'en ai eu marre de voir ma vieille mère se faire agresser, que j'en ai eu ras le bol que le garage où je travaillais se fasse racketter. Et parce que j'avais envie de donner un peu de sens à ma vie.

Sarah sentit une pointe de colère dans la voix d'Adrian. Elle contrôla son rétroviseur avant de bifurquer pour emprunter la voie rapide.

— C'est Stefen qui vous a recruté ?

— Oui. Il a jugé que mes résultats au concours d'inspecteur étaient assez bons, je pense. Et puis il a apprécié que j'aie déjà eu une expérience professionnelle.

— Vous êtes bien conscient que cette affaire est très éloignée des délinquances que vous évoquez.

— Pour les jeunes policiers comme moi, vous êtes un modèle. Quelle que soit l'affaire sur laquelle on enquête, travailler avec vous est une chance qui ne se refuse pas.

Sarah n'avait jamais mesuré ce qu'elle représentait aux yeux de ses collègues. Elle sentait bien une certaine reconnaissance, mais dans sa tête, il y avait toujours meilleur qu'elle. Et puis elle n'avait pas choisi ce métier pour la gloire, mais pour honorer la mémoire des victimes.

— Et votre bras ? relança Sarah. Vous vous êtes fait ça comment ?

— Ah ! ça ne va pas vous rassurer sur mes compétences. J'ai voulu intervenir sur une agression dans Grønland et le type m'a poussé. Je suis tombé sur l'angle du trottoir et crac.

Sarah connaissait bien ce quartier et imagina aisément ce qui avait pu se passer.

— Je peux vous poser une question un peu bête, inspectrice ?

Sarah haussa les épaules.

— Pourquoi vous n'avez pas le même nom que vos parents ?

— Geringën est le nom de mon ex-mari. J'ai gardé mon nom d'épouse pour que ma famille proche ne soit pas associée à mon travail.

— OK.

Le silence retomba dans la voiture, mais fut interrompu par l'alarme qu'émit le téléphone d'Adrian.

— C'est quoi ? demanda Sarah.

Adrian ne répondit pas. Il avait la tête baissée vers son téléphone.

— Officier Koll.

— C'est une annonce envoyée à toutes les polices d'Oslo…

— Qui dit quoi ?

— Un article de presse vient d'être mis en ligne. Je crois que vous devriez vous arrêter.

Sarah se rabattit sur une place et stoppa net. Elle regarda le téléphone d'Adrian et pâlit.

L'INSPECTRICE SARAH GERINGËN, HÉROÏNE AUX ZONES D'OMBRE

Acquittée du meurtre dont elle était accusée, l'inspectrice Sarah Geringën sort aujourd'hui de prison. Mais une autre affaire pourrait bien la rattraper.
Par Tomas Holm, grand reporter.

Sarah Geringën, ce nom était déjà sur toutes les lèvres lors de l'affaire de l'hôpital psychiatrique de Gaustad, et plus encore à la suite de l'assassinat de notre Première ministre dont elle fut l'enquêtrice en chef.

Ancien membre des forces spéciales ayant combattu en Afghanistan jusqu'en janvier 2013, Sarah Geringën aurait, selon la police d'Oslo, suivi un stage de février à avril de cette même année dans la station de montagne de Hemsedal pour prévenir toute forme de stress post-traumatique avant de rejoindre les rangs de la police d'Oslo en tant qu'enquêtrice.

Or, Mme Geringën n'a jamais mis les pieds au centre de Hemsedal. Cette information nous a été confirmée par deux sources internes. Pourquoi a-t-on voulu nous faire croire que Mme Geringën avait suivi ce stage ? Et où se trouvait-elle réellement à cette période ?

Le service des autoroutes fournit un début de réponse. Mme Geringën, dont le visage est automatiquement détecté par les caméras en tant que membre de la police, a été photographiée sur l'autoroute E39 au péage de Stavanger à 10 h 06, le 21 février 2013. Soit à plus de quatre cents kilomètres du centre de réadaptation de Hemsedal. Un passager se trouvait assis à l'arrière du véhicule. Compte tenu de sa taille, il s'agissait très probablement d'un enfant.

L'affaire aurait pu s'arrêter là, mais un mois plus tard, un enfant a été retrouvé mort dans le port de Stavanger. Il a été identifié comme étant le petit Matts Helland, habitant à Oppsal. Les deux parents de l'enfant étant aujourd'hui décédés, l'enquête n'a pu aboutir. À ce jour, personne n'est en mesure de dire où se trouvait Mme Geringën entre le moment où la photo a été prise au péage et la mort du jeune garçon.

Les Norvégiens ont droit à la vérité. Vérité qui n'éclatera que lorsque la Justice se saisira de l'affaire.

Un silence pesant emplissait le véhicule parfois secoué par l'appel d'air de voitures les frôlant à grande vitesse. L'officier Koll triturait sa cicatrice, n'osant pas regarder Sarah.

— Dans deux jours au plus, je serai sous le coup d'une procédure judiciaire et mise en examen, déclara Sarah, amère. Avec très probablement une détention provisoire.

Adrian Koll parut réfléchir. Sarah appela Stefen et attendit dix longues minutes avant que sa ligne soit enfin libre.

— Je vais expliquer que tu n'es pour rien dans cette affaire, dit-elle quand il décrocha.

— Ouais. On verra ce que ça donnera... C'est la folie ici. Toutes les huiles m'appellent.

— Combien de temps tu me laisses pour terminer l'enquête ?

— Fonce. On verra. Tu n'as rien à perdre de toute façon.

— Et Koll ?

Stefen ne répondit pas tout de suite.

— Dites-lui que je ne veux pas arrêter, lança soudain Adrian.

— Stefen ? Tu as entendu ?

— Oui.

— Ça risque de lui porter préjudice pour la suite de sa carrière.

Adrian s'approcha du combiné.

— Mon commandant. Je sais qu'en quelques jours aux côtés de l'inspectrice Geringën je vais apprendre plus que je n'ai appris en un an et demi de formation.

Si vous voulez me rendre service, laissez-moi poursuivre cette enquête avec elle.

— Alors si vous êtes d'accord, continuez comme ça. Bonne chance, Sarah.

Sarah considéra Adrian avec un mélange d'admiration et de tristesse. Il avait définitivement l'audace de ceux qui veulent aller loin. Quitte à se brûler les ailes.

— Vous êtes certain de votre choix ?

— Je ne me vois pas retourner au poste et reprendre les dépositions en sachant que j'ai laissé filer une telle affaire.

Adrian se rendit compte de ce qu'il venait de dire.

— Enfin… je veux dire…

— Ne vous excusez pas, ce n'est pas votre père.

Sarah redémarra.

— Juste une question, ajouta Adrian. Ce que dit l'article est vrai ?

— Ce qu'il dit, oui. Ce qu'il sous-entend est une autre histoire, répliqua Sarah en appuyant sur l'accélérateur.

– 11 –

Christopher jeta le journal par terre et se leva d'un bond.

Dans la maison qu'il partageait il y a encore un an avec Sarah, les murs de son bureau étaient recouverts du plan d'Oslo et de la carte de la Norvège punaisés, de notes manuscrites et d'articles scotchés où apparaissait le nom de Sarah Geringën à plusieurs reprises. Les traces d'un travail acharné qu'il menait depuis un an en parallèle de son activité de journaliste à l'hebdomadaire *Morgenbladet*.

Après l'incarcération de Sarah, il était retourné plusieurs fois à Oppsal sur les lieux de la disparition du petit Matts Helland, mais dans cette banlieue d'Oslo, où circulait la drogue et frappait le crime, personne ne voulait lui parler. Il avait tenté d'obtenir le rapport médico-légal grâce à Thobias Lovsturd, qu'il connaissait par Sarah… mais apparemment pas assez pour que ce dernier lui fasse confiance. Le peu d'informations qu'il avait pu recueillir jusqu'ici confirmait malheureusement les faits relatés par Tomas Holm dans son article.

Ce matin, il avait encouragé Sarah à se confier en prétendant que l'enquête qu'il avait menée tendait à prouver son innocence, mais elle n'avait rien voulu lui dire. Cherchait-elle toujours à l'éloigner parce qu'elle avait vraiment un crime à cacher ?

Christopher tournait en rond en se demandant quelle autre piste creuser pour débloquer son enquête, quand son téléphone sonna. Numéro inconnu. Il décrocha et une voix timide se fit entendre.

— Vous m'avez proposé de vous appeler si un jour j'avais quelque chose à raconter à propos de la mort de Matts Helland. Alors je vous appelle.

Christopher s'assit à son bureau, attrapant précipitamment un crayon et un papier. Il n'avait aucune idée de l'identité de la personne au téléphone.

— Oui, vous faites bien, répondit-il. Rappelez-moi votre nom ?

— Melinda. C'est à propos de l'inspectrice et du petit Matts.

— Oui, bien sûr…

— J'ai lu l'article dans le journal. Ce Tomas Holm, il est venu plusieurs fois dans le quartier, mais je l'ai pas trouvé sympathique et j'étais sûre qu'il allait raconter des conneries. Alors si vous voulez, moi je peux vous dire ce que je sais.

— Je peux venir vous voir maintenant.

— Oui, ça me va, je suis chez moi pendant que les enfants sont à l'école.

— Vous voulez bien me redonner votre adresse ?

Christopher sauta dans sa voiture. En moins d'une demi-heure, il avait rejoint Oppsal. Dans la rue, une bande de jeunes hommes le regardaient avec insistance pour lui signifier qu'il n'était pas le bienvenu dans leur quartier. Christopher ignora la menace silencieuse.

La porte de l'appartement à laquelle il frappa était taguée et striée d'entailles. En la voyant ouvrir, il reconnut vaguement la jeune femme. Une petite brune rondelette, en jogging, qu'il avait effectivement interrogée il y a un an. Elle jeta un coup d'œil dans la cage d'escalier et le fit entrer.

Il émanait de la cuisine une forte odeur d'huile frite. Christopher se prit les pieds dans un porteur en plastique qui traînait dans le couloir.

— Excusez-moi pour le désordre, dit-elle.

— Je ne vois pas de quoi vous voulez parler. Je vis seul avec un enfant et vous n'aimeriez pas voir à quoi ressemble mon intérieur...

La femme le conduisit dans le salon et s'assit sur un canapé taché. Christopher prit place sur une chaise en face.

— Merci de m'avoir rappelé. Chaque nouvelle information m'est précieuse, dit-il avec un sourire discret qui encourageait à la confidence.

La jeune femme attacha ses cheveux en queue-de-cheval.

— J'ai lu l'article ce matin et j'ai compris que le journaliste n'aimait pas cette inspectrice. Quand il était venu ici, on aurait dit qu'il avait déjà son idée sur elle et qu'il cherchait juste à l'enfoncer. Vous voulez quelque chose à boire ?

Elle tendait le bras vers une canette de Coca-Cola posée sur la table.

— Non, merci.

— Je l'ai jamais rencontrée, cette inspectrice. C'est votre femme, c'est ça ?

Christopher écarta les mains en signe de gêne.

— Après tout, c'est vos affaires. Mais quand j'ai vu à la télé tout ce qu'elle s'était pris dans la gueule pour retrouver le type qui avait assassiné notre Première ministre… Et quand je vous ai entendu raconter tout ce qu'elle avait découvert sur les saloperies que certains types avaient faites pour rabaisser les femmes et leur piquer tout le pouvoir, ça m'a foutue dans une rage ! Je me suis dit qu'elle avait eu sacrément du cran pour aller chercher tout ça. Alors j'ai commencé à l'aimer, cette Sarah Geringën. Surtout avec ce que j'ai vécu.

La jeune femme décapsula la canette et avala une gorgée de soda.

— Bref, ce matin, quand j'ai vu l'article qui sous-entendait qu'elle avait tué le petit Matts, je me suis dit qu'il fallait qu'il y ait quelqu'un d'autre qui enquête. Et tant pis si les connards d'en bas viennent me dire que j'aurais pas dû parler. Je veux pas être une lâche.

— C'est rare d'entendre des gens comme vous. Vous êtes vraiment courageuse, dit-il.

— Je dis pas que ce que je vais vous raconter va dans le bon sens pour elle, hein. Mais au moins, ça sera la vérité.

Le ventre de Christopher se noua.

— Je vous écoute.

— Eh ben, en fait, je crois que c'était pile une semaine après. J'arrivais pas à dormir et je fumais une clope au balcon. Et là, je l'ai vue, cette Sarah. Dans la rue devant l'immeuble. Une semaine après la mort de la mère du petit Matts. Elle était revenue.

— Vous êtes certaine que c'était elle ?

— Il n'y a pas de rousse dans le quartier.

— Vous vous souvenez de l'heure ?

— Il devait être dans les 2 heures du matin.

— Et ensuite ?

— Elle est entrée dans l'immeuble. J'ai ouvert ma porte pour voir où elle allait. J'ai entendu qu'elle s'arrêtait à l'étage du petit Matts. Et puis, je sais pas, une demi-heure plus tard, elle est ressortie. Elle marchait hyper vite. Et elle tenait le gamin par la main.

Christopher ne laissa pas transparaître son malaise.

— Qu'est-ce que vous avez fait ?

— Je suis allée direct chez le père Helland. Je me suis dit qu'elle avait buté le père et kidnappé l'enfant.

Christopher essuya sur ses cuisses la paume moite de ses mains.

— Je me souviens, je tapais comme une malade à sa porte. L'autre ordure m'ouvre, sur les nerfs. Je lui dis que l'inspectrice s'est barrée avec son fils, et là, il me chope par le col, me plaque contre le mur et me balance : « Si tu dis un mot à quelqu'un, je te crève, toi et tes gosses. »

La jeune femme avala une nouvelle gorgée de soda.

— Putain, j'en ai encore mal au bide tellement il m'a foutu la trouille. Maintenant, je m'en tape, il est mort, mais je vous jure que je faisais pas la fière. Voilà, c'est ça que je voulais vous raconter.

Troublé, Christopher opina.

— Vous croyez que c'est vraiment elle qui l'a tué ? demanda la jeune femme.

— Non.

— Ouais, moi non plus, mais j'ai vu tellement de trucs dans ma vie, je me dis qu'il faut pas se fier aux apparences. Si ça se trouve, c'est une super flic, mais elle a un truc pas net. Enfin j'sais pas. Je veux juste pas qu'on raconte n'importe quoi sur elle.

Christopher se leva. Il n'allait pas pouvoir faire semblant d'être impassible encore longtemps.

— Merci, Melinda.

— Je sais que ça vous fait pas plaisir, ce que je vous raconte… Au moins vous essayez de l'aider, vous. Parce que vous l'aimez, hein ?

— Je ne vais pas vous déranger plus longtemps. Et encore merci de m'avoir confié tout ça.

— Bon courage.

Christopher regagna sa voiture plus vite qu'il n'était venu.

Jamais il n'aurait cru recueillir un témoignage aussi accablant contre Sarah.

12

— Entrez ! Entrez ! cria une voix lointaine quand Sarah eut frappé à la porte du cabinet du légiste.

L'entêtante émanation du désinfectant mêlé au camphre lui souleva l'estomac et la luminosité éclatante de la pièce l'aveugla. La salle était carrelée de blanc et le mobilier en inox miroitait sous les néons. Dans un coin trônait une poubelle en plastique jaune frappée du sigle des matières infectieuses.

Au centre de la pièce, trois tables d'autopsie dont la forme légèrement incurvée drainait les fluides humains rappelaient qu'elles n'étaient pas là pour accueillir les vivants.

Sur l'une d'elles, un drap recouvrait un cadavre éclairé par le scialytique fixé au plafond. Suspendus au bras mécanique, une balance et son plateau attendaient des organes à peser. Un scalpel, une scie à crâne, un costotome pour ouvrir le thorax et l'écarteur qui lui était associé, des couteaux à cartilage et des tubes insufflateurs étaient posés sur un chariot. Sarah ne pouvait détourner son regard des outils tachés de sang et une bile aigre lui brûla la gorge. Elle entendit derrière elle le raclement d'une chaise que l'on tire et une main l'invita doucement à s'asseoir.

— Vous avez un don pour vous infliger de drôles de tourments, Sarah.

Thobias Lovsturd avait conservé cette bonhomie aux antipodes de son métier. Sa gentillesse se lisait sur son visage rond entouré d'une modeste barbe grise et dans son regard bienveillant habillé de petites lunettes.

Il posa une poigne chaude et rassurante sur l'épaule de Sarah.

— Dites donc, Sarah, va falloir vous remplumer ! dit-il en lui malaxant l'épaule. On n'a pas le droit de laisser dépérir une femme aussi belle et aussi formidable que ça. Hein, officier Koll ? C'est bien ça, votre nom ?

— Inspecteur Koll, monsieur, réussit à dire Adrian, les yeux rivés sur le drap sous lequel reposait le corps d'André Vassili.

— Inspecteur ou officier, vous allez surtout vous charger de me la faire manger et dormir. Pour le reste, regardez-la travailler et apprenez, vous êtes avec la meilleure. Et de loin.

— Qu'est-ce que vous avez trouvé ? demanda Sarah.

— Oui… vous avez raison, vous êtes là pour les résultats de l'autopsie, répondit Thobias d'un ton plus posé.

Il se dirigea vers la table où reposait la dépouille. Sarah craignit qu'il soulève le drap, heureusement il s'abstint et attrapa un porte-bloc sur les feuilles duquel il avait griffonné quelques notes.

— Elle est en cours, mais voici ce que je peux déjà vous dire. La partie postérieure du crâne présente une ecchymose bleuâtre, donc de nature récente. Cette lésion sous-cutanée ne laisse apparaître aucune forme de coupure et a par conséquent été portée avec un objet contondant et non tranchant.

— C'est la cause de la mort ?

— Non… Le tissu osseux ne présente aucune fracture. Le coup était destiné à blesser ou à assommer puisqu'il a été donné avant le décès. L'assassin voulait probablement que sa victime soit à sa merci.

— La gangrène des doigts et des orteils. Qu'en avez-vous conclu ?

Thobias secoua la tête, l'air embarrassé.

— Vous avez perdu des kilos, mais pas votre rythme de machine à enquêter.

Thobias souleva un bout du drap. En voyant à nouveau les doigts rongés et déformés par la gangrène, Sarah dut réprimer un haut-le-cœur.

— Je vous épargne les détails cliniques, reprit Thobias.

Il approcha le plafonnier pour intensifier l'éclairage et saisit une main.

— La victime était encore en vie lorsqu'elle a subi ces tortures : on devine les prémices d'une cicatrisation. La gangrène s'est déclenchée à la suite d'engelures. Vous voyez ici, et là, on distingue nettement les marques d'une tête d'application…

Sarah repéra en effet des poinçons sur ce qui avait été la pulpe des doigts.

— Le meurtrier a eu recours à un appareil de cryothérapie similaire à celui avec lequel les dermatologues éliminent les verrues. Mais au lieu de procéder par application de vingt secondes, il a maintenu la pression de l'azote liquide à – 78,5 °C pendant plusieurs minutes sur chacun des doigts et orteils, entraînant une destruction cellulaire des tissus profonds et une nécrose rapide.

La voix de Thobias s'éteignit dans le silence de la salle. Sarah eut besoin de se rasseoir.

— Mon père est-il mort des suites de ce… supplice ? parvint à articuler Sarah.

Thobias recouvrit respectueusement les membres nécrosés.

— Non.

— Alors quelle est la cause de la mort ?

Le légiste posa un doigt sur le drap au niveau de la poitrine.

— Les analyses ont montré une intense congestion à plusieurs niveaux du métabolisme. Un œdème hémorragique pulmonaire, une myocardite aiguë au niveau du cœur et une abondante présence d'écume mousseuse au niveau de la trachée et des bronches.

Le légiste releva la tête vers Sarah.

— Nous avons là les signes concordants d'une mort par choc anaphylactique. Autrement dit, André Vassili est décédé d'une violente réaction allergique qui a entraîné l'arrêt cardiaque.

— Une allergie à quoi ? s'étonna Sarah. La poudre blanche ?

— C'est ce que j'ai voulu vérifier. Je me suis permis de faire ma propre analyse de cette substance sans attendre celle de la scientifique. Bref, cette poudre blanche n'est rien d'autre que de la farine, termina Thobias en haussant les épaules. Rien que de la farine native de blé.

La révélation, songea Sarah, donnait à la mort de son père une dimension plus étrange encore.

— J'imagine que vous avez...

— ... testé les éventuelles réactions allergiques de la victime à la farine de blé ?

Sarah approuva d'un battement de cils.

— À votre connaissance, il n'y était pas sujet ? demanda Thobias à Sarah.

— Non, pas que je sache.

— Bon, de toute façon, les dosages d'immuno-globuline E sont tous inférieurs au taux de référence allergique pour cette substance. André Vassili n'était pas allergique au blé, ni au sarrasin, ni à aucune autre céréale. Autrement dit, ce n'est pas la farine qui a déclenché l'excessive réaction du système immunitaire et la mort.

Sarah était circonspecte.

— Combien de temps pour identifier la substance allergisante ?

— Ah !

Thobias leva les bras.

— La seule chose que je puisse conclure en l'état, c'est que l'allergène tueur était d'origine alimentaire. Ce sont les seuls à déclencher des réactions du type de celles que j'ai diagnostiquées chez la victime. Mais si l'on recense environ quatorze allergènes majeurs, on connaît en fait au moins cent vingt aliments qui peuvent déclencher des allergies. Donc, je vais m'y mettre. Mais laissez-moi au moins deux jours pour déterminer la composition exacte du bol alimentaire de la victime.

— Et quelle est la nature du corps étranger que vous avez retrouvé dans le ventre ? demanda Sarah.

Thobias s'approcha d'un mur où était accroché un négatoscope. Il coinça trois radiographies sur le rebord supérieur de l'écran lumineux.

— La victime avait dans son estomac quelque chose qui n'avait rien à y faire.

Sarah s'approcha. Derrière elle, elle entendit l'officier Koll lui emboîter le pas. La netteté des clichés ne laissait aucune place au doute. Une forme pleine et blanche au contour lisse et régulier se détachait distinctement du dessin grisé de la colonne vertébrale, de la cage thoracique et des viscères de son père. La forme d'une clé.

13

— La voici, lâcha le légiste en lui présentant un plateau en inox sur lequel était posée une clé.

Une clé de huit centimètres de longueur, avec une tête en rosace ouvragée et un paneton percé de lignes labyrinthiques.

— D'après votre examen, peut-on savoir si mon père a avalé cette clé sous la contrainte ou s'il l'a fait volontairement ? répliqua Sarah.

— Oui, oui, bien sûr, c'est aussi la question que je me suis posée. D'abord, je peux affirmer que la clé a été introduite par voie orale, car il n'existe aucune lésion ou cicatrice au niveau de l'abdomen. Et pour répondre à votre question, reprit Thobias en pointant de son doigt le coin de la bouche du cadavre, vous voyez clairement des déchirures à la commissure des lèvres. On peut supposer que la victime a été obligée d'écarter la mandibule du maxillaire inférieur. Après, était-ce pour lui faire avaler la clé ou le produit qui a déclenché le choc anaphylactique, je ne peux pas vous le dire. La seule certitude, c'est que votre père était en vie quand la clé a rejoint son estomac.

Sarah réfléchit. Soit son père avait avalé la clé de son plein gré, avant que son assassin n'intervienne. Dans ce cas, pourquoi tenait-il à la cacher ? Soit on avait violenté son père pour qu'il avale cette clé. Mais avec quelle intention, puisque ce n'était pas cela qui l'avait tué ?

Sarah prit la clé et la glissa dans un sachet en plastique qu'elle rangea ensuite dans la poche intérieure de sa parka. C'était certainement le premier indice qu'elle allait soumettre à sa mère lors de son interrogatoire.

— Merci, dit Sarah en se dirigeant vers la sortie. Tenez-moi au courant des nouvelles analyses allergologiques.

— Inspecteur Koll, vous voulez bien attendre dehors quelques instants, s'il vous plaît ? demanda le légiste. J'aimerais m'entretenir brièvement avec l'inspectrice Geringën.

Adrian se tourna vers Sarah, attendant son accord.

Elle hocha la tête, curieuse de savoir ce que Thobias pouvait bien avoir à lui dire en privé.

— Bien, répondit Adrian.

L'officier salua le légiste et sortit.

— J'ai suivi toute votre affaire, reprit Thobias en s'asseyant sur un tabouret. Tous les risques que vous avez encourus pour faire éclater la vérité lors de votre dernière enquête, c'était courageux, Sarah. Vraiment ! Prenez le temps de vous asseoir deux minutes.

Était-ce parce qu'il était plus âgé qu'elle, que sa voix était enveloppante, ou parce que avec lui elle ne se sentait pas jugée ? Sarah tira un tabouret et prit place face à Thobias.

— J'ai cru comprendre que votre couple en avait pâti…

Sarah blêmit.

— Pardon, je suis un peu direct, mais je pense que personne n'ose vous en parler, alors que cela doit vous peser.

— Je vais y aller.

Thobias rattrapa Sarah calmement par le poignet alors qu'elle se levait.

— Vous permettez que je prenne votre tension ?

Sarah releva la manche de son tee-shirt. Thobias fit coulisser le brassard du tensiomètre le long du bras nu, cala le stéthoscope dans ses oreilles, l'autre extrémité sur le trajet de l'artère humérale au creux du coude et pressa la poire du nanomètre.

— 15/9, déclara-t-il. Je ne connais pas votre ratio habituel, mais on peut dire que vous êtes tendue, lâcha-t-il en retirant le brassard dans un crissement de velcro.

Il la palpa pour détecter d'éventuels ganglions, au cou et aux aisselles. Puis il plaça son stéthoscope sur la poitrine de Sarah et sur son dos en lui demandant de prendre de grandes inspirations.

Sarah fut touchée par la bienveillance du légiste. Et cette douceur qu'elle n'avait pas connue depuis un an libéra une telle tension qu'elle ne put retenir les larmes qui embuèrent son regard. Les gouttes qui coulaient sur son visage apportaient à ses lèvres le goût salé de la tristesse. Thobias la prit doucement dans ses bras.

En cet instant, tout l'amour qu'elle avait pour son père jaillit en elle et fit exploser son cœur. Elle avait mal, tellement mal. Secouée par les spasmes du chagrin,

Sarah s'en voulait. Elle s'en voulait à la fois d'aimer son père et de le détester de ne leur avoir dit qu'une seule fois dans sa vie ce qu'il ressentait pour elle et sa sœur. Pourquoi n'avait-elle pas cherché à savoir avant ce qu'il ressentait au fond de lui ? Maintenant, il était trop tard. Son père, cet inconnu, était mort.

Blottie contre Thobias, elle pleura jusqu'à se sentir vidée.

Elle essuya ses larmes.

— Merci…

— Vous savez que je suis là pour vous, Sarah.

Elle quitta l'hôpital, l'officier Koll sur ses pas. L'air frais lui fouetta le visage et elle sentit qu'elle avait repris un peu de force. Cette force dont elle allait avoir besoin pour affronter le stress de l'interrogatoire de sa mère.

14

Christopher gara sa voiture dans la rue qui faisait face à l'hôpital de l'université d'Oslo. Il refusait de croire que Sarah ait pu se rendre coupable de l'assassinat du petit Matts. En même temps, il ne pouvait ignorer tout ce qu'il savait désormais des effets du stress post-traumatique : altération de la régulation des émotions, impulsivité et risques de comportement violent. Autant de troubles dont Sarah avait eu toutes les chances de souffrir après sa mission en Afghanistan.

Progressivement, l'hypothèse qu'il redoutait le plus s'échafaudait dans son esprit. Et c'est presque avec frayeur qu'il déroula pour la première fois d'un bout à l'autre son raisonnement. À l'époque, Sarah était mariée à Erik Geringën et ils essayaient désespérément d'avoir un enfant. Elle subissait l'éreintant protocole médical de l'insémination artificielle et les échecs successifs l'avaient amenée au bout de ses espoirs. Et puis Matts avait croisé sa route : il venait de perdre sa maman et son père était un trafiquant violent. L'esprit altéré par ce qu'elle avait vécu en Afghanistan, en mal d'enfant, elle aurait décidé de prendre ce petit garçon pour elle et de vivre, loin d'Oslo, ce rôle de mère que la nature lui refusait. Jusqu'au jour où l'enfant l'aurait suppliée de le ramener chez lui. Peut-être qu'il aurait eu à se débattre et, dans un geste malheureux de colère et de désespoir, Sarah aurait commis l'irréparable, jetant ensuite le corps à l'eau pour simuler une noyade.

L'enquête avait conclu à une mort accidentelle, mais pouvait-on se fier à cette version officielle des faits, alors que les services de police avaient menti sciemment à la presse en déclarant que Sarah Geringën était en réadaptation au centre d'Hemsedal ? Seul le rapport original du légiste en charge de l'affaire permettrait de détecter des éléments contraires.

Christopher, qui avait cru pouvoir démentir haut la main les insinuations du journaliste Tomas Holm et sauver Sarah de la diffamation, était aujourd'hui rongé par la peur de découvrir une indicible vérité. Mais il ne pouvait plus faire marche arrière.

Il sortit de sa voiture et se dirigea vers l'hôpital. En tant que journaliste, il connaissait bien l'endroit et contourna l'accès officiel. Après un dédale de couloirs, il franchit la passerelle de sortie de secours située dans les étages supérieurs et gagna sans encombre le bâtiment médico-légal. Il frappa à la porte de Thobias Lovsturd.

— Christopher Clarence, vous ici, dit le vieux légiste en le regardant comme s'il s'agissait d'un confrère avec qui il aurait eu un différend par le passé.

— Bonjour, Thobias. Je vous prie de m'excuser de passer à l'improviste…

— Vous avez de la chance, je suis là. Sarah vient tout juste de repartir.

— Je sais pour son père. Comment l'avez-vous trouvée ?

Thobias retira son calot et passa une main sur son crâne dégarni.

— Elle est fragile, oserais-je dire.

— Elle ne va pas tenir le coup ?

— Vous la connaissez mieux que moi. Elle a du cran. Mais la perte de son père est un choc encore plus terrible après sa sortie de prison. Et les conditions dans lesquelles il a été assassiné sont d'une telle violence...

— Vous avez lu l'article ?

— Quel article ?

Christopher lui tendit le journal du jour. Thobias retira ses gants, abaissa son masque sur le menton et lut.

Christopher sentait l'odeur mentholée de produits chimiques qui dissimulait à peine les émanations de chairs mortes. Et au fond de la salle, il distingua la silhouette d'un corps recouvert d'un drap.

Comme s'il voulait préserver l'intimité de son lieu de travail, Thobias referma la porte derrière lui sans interrompre sa lecture. Enfin, il releva la tête.

— Je ne pense pas que Sarah aurait pu faire du mal à cet enfant. Et vous ?

Christopher soupira.

— J'essaie de ne pas me mentir.

— Vous avez donc des doutes ?

— À cette époque, Sarah revenait tout juste d'Afghanistan, et avec ce qu'elle a dû voir et subir là-bas...

Thobias émit un discret grognement.

— Elle ne pourrait pas continuer à vivre en ayant commis un tel crime.

— Sarah a déjà tué. Et pas qu'une fois. Peut-être que…

— Pourquoi êtes-vous venu me voir, au juste ? Pour me redemander le rapport d'expertise sur la mort de ce petit ?

— Oui. Nous aimons Sarah, vous et moi. Et vous savez que si personne ne fait rien, elle va être traînée dans la boue.

— Et vous ferez quoi, si ce rapport prouve que le gamin a subi des violences avant d'être jeté à l'eau ? Vous publierez un article à charge contre la femme de votre vie ?

— Je ne sais pas ! s'agaça Christopher, en colère plus contre la fatalité que contre Thobias.

— Vous me faites penser à moi quand j'étais plus jeune. Toujours à vouloir savoir la vérité, même si elle devait me pourrir la vie. Ce n'est d'ailleurs pas pour rien que je fais ce métier.

Thobias releva ses yeux ridés vers Christopher.

— Et ce qui est sûr, c'est que si j'aimais une femme, je ferais tout pour l'aider. Quitte à découvrir une vérité que j'aurais préféré ignorer. Attendez-moi cinq minutes, je vais voir ce que je trouve sur le fichier central.

Quand la porte de la salle de dissection se rouvrit, Christopher scruta le regard de Thobias pour tenter d'y deviner un verdict. Le légiste lui tendit une chemise cartonnée.

— Il n'y a aucune trace de contusion ou quoi que ce soit qui puisse permettre de conclure à des violences précédant la mort par noyade.

— Et si…

— … elle l'avait noyé en le maintenant sous l'eau ? C'est malheureusement possible, mais indétectable. Notamment si elle l'a contraint par les épaules ou l'arrière de la tête. Vous voulez toujours le dossier ?

— Oui.

— Bon courage. Sarah a de la chance de vous avoir.

L'enquête de Christopher revenait au point mort. S'il voulait réussir à lever le voile sur cette histoire, il fallait qu'il trouve où était Sarah entre le moment où elle avait été photographiée au péage de Stavanger et la découverte du corps du petit Matts.

Une fois dans sa voiture, Christopher prit le temps de lire l'intégralité du rapport médico-légal, traquant le moindre indice. Le langage employé était parfois obscur et il n'était pas certain de tout comprendre.

Jusqu'à ce qu'un détail étrange attire son attention.

15

Dans la pièce adjacente à l'une des salles d'interrogatoire du commissariat, Sarah se tenait devant le miroir sans tain. De l'autre côté de la vitre, sa mère était assise à une table, un officier de surveillance posté face à elle, à côté de la porte.

Elle avait l'air perdue, fixant un point invisible. Ses cheveux étaient décoiffés, ses vêtements mal ajustés. Sarah eut de la peine pour elle quand elle la vit tourner un regard apeuré vers l'officier qui venait d'entrer. Écartant sa mèche blonde et s'assurant que l'écharpe de son bras dans le plâtre était bien ajustée, Adrian s'approcha du témoin.

— Bonjour, madame Vassili, dit-il poliment. Je suis l'officier Koll, en charge de l'enquête sur le meurtre de votre mari.

— Je veux voir ma fille ! Où est Sarah ? s'alarma Camilla.

Sarah réprima l'envie d'aller rassurer sa mère.

— Votre fille est également interrogée en ce moment même.

Sarah fut étonnée de l'aplomb d'Adrian.

— Sarah était en prison la nuit dernière !

— Madame Vassili. Je comprends votre colère, mais laissez-nous faire notre travail. Maintenant, j'ai besoin de savoir où vous étiez hier vers 22 heures.

— Pardon ? Vous plaisantez, j'espère ?

— Madame, je sais que ces questions peuvent paraître déplacées dans ces circonstances douloureuses, mais si vous voulez que l'on mette la main sur le meurtrier de votre mari, vous devez respecter certaines formalités. Je vous écoute.

Un peu abrupt, mais il ne se laisse pas démonter, pensa Sarah, surprise par la rigueur du jeune officier.

— J'étais chez ma fille Jessica ! J'avais prévu de dormir chez elle pour qu'on aille ensemble accueillir Sarah à sa sortie de prison.

— À quelle heure avez-vous quitté votre domicile ?

— Il devait être aux alentours de 18 heures.

— Votre mari était à la maison ?

— Non.

— Où était-il ?

— Dieu seul le sait. Je peux juste vous dire qu'il avait pris sa voiture.

Adrian nota l'information.

— Pourquoi ne pas avoir passé la nuit chez vous ? reprit-il.

— Je vous l'ai déjà dit ! Je redoutais la sortie de prison de Sarah autant que je l'attendais, et ce n'est pas auprès de mon mari que j'aurais pu trouver du soutien hier soir.

— Votre mari avait-il un rendez-vous hier soir ?

Camilla laissa échapper un petit souffle, mêlé d'un rictus.

— André aurait pu avoir rendez-vous avec le roi de Norvège, il ne m'en aurait pas informée. C'était un homme qui communiquait peu. Donc, non, je ne sais pas s'il avait un rendez-vous.

Sarah commençait à mesurer à quel point elle s'était refusée à voir le mal-être de ses parents.

— Avait-il prévu de venir à la sortie de prison ? reprit Adrian.

Sarah se raidit. Pourquoi sa mère hésitait-elle à répondre ?

— Oui. Je pense que, même s'il n'en parlait jamais, l'incarcération de Sarah l'avait beaucoup affecté. Je suis convaincue qu'il serait venu la chercher.

— Votre mari était-il en conflit avec certaines personnes ? reprit Adrian.

— Pas à ma connaissance.

— Avait-il des penchants suicidaires ?

Sa mère poussa un long soupir.

— Je me suis souvent posé la question… mais on n'en a jamais parlé. J'ai tout fait pour que Sarah et Jessica ne s'en aperçoivent pas. Ou le moins possible. J'ai essayé de rendre la maison chaleureuse, joyeuse, je voulais qu'elles soient heureuses. Pendant toute leur enfance, j'ai dû compenser cette espèce d'asthénie d'André qui rendait le quotidien souvent très oppressant.

Sarah sentait son cœur s'alourdir un peu plus.

— Avez-vous jamais aimé votre mari ?

— Pourquoi vous me demandez ça ? répliqua Camilla. Quel rapport avec votre enquête ?

— De nombreux crimes sont commis par l'entourage de la victime. Nous devons cerner au mieux ses relations avec ses proches.

— Quelle plaisanterie… Comme si j'avais pu tuer mon mari…

Adrian marqua un temps avant de répondre.

— C'est la procédure, madame. Je vous prierais de bien vouloir vous y conformer.

— En gros, vous me demandez pourquoi je me suis mariée avec un type pareil ? C'est ça ?

Adrian haussa les épaules.

— Eh bien, parce qu'il y a quarante-deux ans, je l'ai aimé pour ses défauts. À l'époque, j'ai cru que je pourrais l'aider et le changer. Ma vie de couple n'aura été qu'une lutte.

Sarah observait sa mère et vit pour la première fois la vieillesse peser sur elle.

— Votre lutte, comme vous dites, a-t-elle pu engendrer des réactions violentes à l'égard de votre mari ? Un ras-le-bol qui vous aurait conduite à un geste regrettable ?

— Vous insinuez donc vraiment que j'aurais pu tuer André ?

— Avez-vous déjà porté atteinte physiquement à votre mari ?

Le silence s'installa dans la pièce.

— J'étais une femme malheureuse, pas violente.

Adrian ouvrit la pochette, en sortit un récépissé qu'il déposa sur la table. Comme Camilla Vassili ne comprenait pas que le papier lui était destiné, il le pointa et le fit glisser vers elle sur la table.

— Il est stipulé ici que votre mari a déposé une main courante. Il y explique que vous l'avez frappé, et les blessures ne sont pas anodines.

Sarah retint son souffle.

— Quel salopard… Après toutes ces années où je l'ai soutenu et supporté, il a osé porter plainte contre moi. Oui, j'ai fait ça ! Et je ne le regrette pas !

— Vous avez fait quoi ? répondit Adrian, que Sarah trouvait remarquablement calme face à une femme qui perdait ses moyens.

— Je l'ai frappé au visage un jour où il m'a rendue folle. Cela faisait une semaine qu'il ne parlait pas ! Qu'il me laissait seule avec mes peurs quant à l'avenir de notre fille !

Sarah ferma les yeux. C'était exactement ce qu'elle craignait d'entendre.

— Madame Vassili, je comprends votre colère, glissa Adrian avec compassion. Est-ce pour cela que vous avez tué votre mari ?

De l'autre côté de la vitre, Sarah était en apnée. Sa mère se tordait les mains.

— Je vais vous dire la vérité. Le jour où je l'ai frappé, j'aurais aimé qu'il meure, s'écria Camilla Vassili. Mais ce n'est pas moi qui l'ai assassiné… Jamais je n'aurais pu…

Adrian gratta sa cicatrice et patienta quelques secondes.

— Votre mari avait-il des amis, des relations ?

La mère de Sarah regardait dans le vide, comme éreintée par son aveu.

— Madame Vassili ? Pouvez-vous me donner les noms des personnes que votre mari côtoyait régulièrement ?

— Depuis qu'il était à la retraite, il ne voyait personne. Il passait son temps dans le bureau et dans le jardin. Il lui arrivait aussi de disparaître pendant une journée ou deux, puis de revenir.

Sarah se rapprocha instinctivement de la vitre sans tain.

— Vous savez où il allait ?

— Aucune idée. Et ce n'était pas la peine de demander.

— Il ne vous a jamais dit où il se rendait ?

— Je crois que vous n'avez toujours pas bien compris la personnalité d'André. Il ne répondait pas aux questions qu'on lui posait. Et s'il le faisait, c'était seulement par : « Je suis allé me balader », ou : « J'avais besoin de prendre l'air. »

— Ces absences ne vous inquiétaient pas ?

— J'étais soulagée quand il partait. Pendant ce temps, je n'avais plus sa présence pesante à mes côtés.

— À part vous, avait-il de la famille ? renchérit Adrian.

— Hélas ! non. Sa mère est morte quand il était encore enfant et son père est décédé il y a plus de quarante ans. Pas de frères ou de sœurs.

— Bien. Rien à voir, mais lui connaissiez-vous une allergie alimentaire ou autre ?

Camilla Vassili fronça les sourcils.

— Non. Pourquoi ?

Ignorant la question, Adrian reprit :

— Vous pourriez peut-être m'aider avec ça.

Adrian tira de la pochette la clé qui avait été extraite du corps d'André Vassili. Camilla se redressa sur sa chaise et appuya sur le plastique du sachet pour faire disparaître les reflets du néon.

— Où avez-vous trouvé cela ?

Adrian se contenta de répondre d'un sourire poli.

— Écoutez, reprit la mère de Sarah. J'ai été coopérative. Mais maintenant, j'aimerais qu'on me dise exactement ce qui est arrivé à mon mari. Je sais seulement qu'il a été assassiné à la maison ! Vous vous mettez à ma place ? Pourquoi vous ne m'en dites pas plus ? Comment est-il mort ? Est-ce qu'il a souffert ? Pourquoi l'a-t-on tué ? Qui l'a assassiné ? Tout cela n'a aucun sens !

— J'entends votre révolte, madame Vassili, mais je vous rappelle que votre mari a déposé une main courante à votre encontre.

— Je n'arrive pas à y croire.

— Nous faisons notre travail, madame.

— Faites venir ma fille et vous allez voir que ça va se passer autrement ! Elle vous apprendra votre métier, au passage !

De l'autre côté de la vitre, Sarah sentit une aigreur remonter de son estomac.

— Je vous remercie de votre collaboration, madame Vassili.

Il referma son dossier et quitta la salle.

Camilla Vassili fondit en larmes. Sarah la regarda, le cœur lourd.

— J'ai fait de mon mieux, lança Adrian derrière elle.

« Vous avez été bon », faillit répliquer Sarah. Il n'avait pas l'air éprouvé. Sa solidité émotionnelle était un atout pour le métier d'inspecteur.

— J'ai commis une erreur ? demanda Adrian en voyant que Sarah le scrutait sans un mot.

— Non. Je me dis seulement que même si les relations entre mes parents étaient conflictuelles, ma mère ne peut pas être mêlée au meurtre de mon père. Je la connais, elle ne ment pas.

— Sauf votre respect, elle semble être parvenue à vous cacher la réalité de ses relations avec votre père.

— Certes, mais est-ce comparable ? Et puis si vraiment elle avait voulu le tuer, elle aurait pu l'empoisonner, le pousser dans l'escalier…

— Alors, qui interroge-t-on maintenant ?

— D'abord, vous allez voir ma sœur, puis vous poserez également des questions à Christopher. Il croisait régulièrement mon père lorsqu'il venait confier Simon à mes parents. Peut-être a-t-il remarqué quelque chose de particulier ces derniers temps. Mais avant, autorisez ma mère à quitter le commissariat, et dites-lui bien qu'elle ne peut pas encore rentrer chez elle. Les investigations scientifiques ne sont pas terminées.

Adrian s'exécuta et, un quart d'heure plus tard, il retrouva Sarah déjà assise dans le véhicule de police.

— Et vous, vous comptez faire quoi maintenant ? demanda-t-il.

— Retourner chez mes parents. Les absences régulières de mon père me perturbent. J'aimerais jeter un coup d'œil au GPS de sa voiture. Et puis il faut que je teste la clé dans la maison.

— OK.

— Je vais conduire jusqu'à la maison de mes parents et vous reprendrez la voiture pour aller recueillir les témoignages officiels de ma sœur et de Christopher à leur domicile. Ensuite, rejoignez-moi chez mes parents et faites une enquête de voisinage. Réinterrogez notamment la voisine qui a découvert le crime et alerté la police.

16

Intrigué, Christopher alluma le plafonnier de sa voiture pour mieux voir. Le détail qui l'avait frappé n'était pas particulièrement mis en valeur dans le rapport d'autopsie. Et pourtant, il pouvait s'avérer décisif : sous les ongles du petit garçon, on avait noté la présence de deux fils de laine de mouton de l'espèce Lincoln Longwool, originaire d'Angleterre.

Christopher pianota sur son téléphone. La région de Stavanger, que Sarah avait l'air de rejoindre sur le cliché du péage, était surtout connue pour ses plates-formes pétrolières et sa pêche industrielle. Mais en y regardant de plus près, la campagne autour était parsemée de troupeaux d'ovins. Le petit Matts avait peut-être vécu un certain temps à côté d'un élevage qui abritait des bêtes de l'espèce Lincoln Longwool.

Christopher appela l'office du tourisme de Stavanger.

— Bonjour, je souhaiterais avoir un renseignement. Est-ce que c'est possible de visiter des élevages ovins dans la région ?

— Oui, bien sûr, répondit la standardiste.

— Formidable. Y a-t-il des élevages de moutons de la race des Lincoln Longwool ? Vous savez, les moutons à laine longue ?

— Alors ça, aucune idée. Patientez un instant, je vous prie.

Christopher entendit qu'on reposait le combiné sur une table.

— Oui, allô ? dit une voix masculine. Vous cherchez à voir des Lincoln, c'est ça ?

— Oui.

— Vous avez de quoi écrire ?

Christopher nota scrupuleusement les coordonnées et tenta de joindre l'élevage, mais tomba systématiquement sur un répondeur.

Stavanger était à huit heures de route d'Oslo. En se dépêchant, il pourrait y être avant la nuit et dormirait sur place s'il le fallait.

Il appela la baby-sitter pour s'assurer qu'elle était disponible pour récupérer Simon à la sortie de l'école, rester la nuit avec lui et l'emmener en cours le lendemain.

Puis il prit la route, de plus en plus anxieux.

17

De retour dans la maison de ses parents, Sarah enfila une paire de gants en latex. Ne trouvant pas les clés de la voiture de son père sur la console de l'entrée, elle descendit l'escalier menant au garage.

Une odeur d'humidité lui monta aux narines et lui rappela les premières boums qu'elle y avait organisées et les matchs de ping-pong qu'elle avait disputés avec sa sœur. La table était désormais repoussée contre un mur, enveloppée d'une bâche en plastique poussiéreuse.

Étrangement, la portière de la Polo Volkswagen de son père était déjà ouverte côté conducteur. Sarah passa la tête et le premier détail qui la saisit fut le parfum qui flottait dans l'habitacle. Un parfum de femme. Ce n'était pas celui de sa mère, ni celui de sa sœur, elle en était certaine. Les clés étaient encore sur le contact et le tableau de bord était resté allumé. Se pouvait-il qu'en rentrant son père ait été surpris par son assassin ? L'écran tactile du GPS affichait le message suivant : « VOULEZ-VOUS EFFACER VOTRE DERNIÈRE DESTINATION. OUI / NON. »

Sarah appuya sur « NON » et accéda à la dernière adresse enregistrée. Alors qu'elle s'attendait au nom d'une ville et d'une rue, elle n'eut que des coordonnées géographiques. Elle les entra sur Google Maps et tomba sur une position au cœur des forêts et des montagnes, à une trentaine de minutes au nord d'Oslo. Qu'est-ce que son père était allé faire là-bas ?

Sarah appela Adrian.

— Vous en êtes où ?

— J'arrive tout juste chez votre sœur.

— Dès que vous avez fini de recueillir son témoignage, retrouvez-moi. On doit vérifier une adresse que j'ai trouvée sur le GPS de mon père. C'est à une demi-heure d'ici.

— Entendu.

Sarah se mit à fouiller la voiture et trouva une pochette en toile dans la boîte à gants. Elle délia la cordelette et une pierre lisse et arrondie chuta dans sa paume. De couleur violette, c'était indubitablement une améthyste. Sarah la fit jouer entre ses doigts et l'inspecta de plus près à la lumière du plafonnier de la voiture. Elle savait que plusieurs personnes attribuaient des pouvoirs aux minéraux. Mais jamais elle n'aurait imaginé que son père puisse partager cette croyance.

D'après les sites consacrés à la magie des pierres qu'elle consulta, l'améthyste favorisait la tempérance et la sérénité. On y avait recours pour des désenvoûtements et l'éloignement du mal et des démons intérieurs.

Troublée, Sarah contempla la pierre. De quel mal son père se sentait-il possédé ? À moins que ce grigri eût été destiné à quelqu'un d'autre que lui. Impossible de le savoir pour l'instant. Tout comme il était impossible de savoir qui était la femme dont le parfum imprégnait l'habitacle de la voiture et si elle était mêlée à l'assassinat de son père.

Sarah rangea la pierre dans sa poche et remonta à l'étage. Elle fit le tour de la maison en prenant soin d'essayer la clé retrouvée dans le corps de son père sur chacune des serrures, mais elle dut se rendre à l'évidence. Abattue, elle retourna s'asseoir sur le canapé dans l'atelier de sa mère. Elle voulait rassembler les pièces de puzzle dont elle disposait, mais, l'esprit essoufflé, elle ferma les yeux pour soulager ses paupières trop lourdes. Basculant en chien de fusil, elle ne se sentit pas glisser dans un sommeil profond.

Quand elle se réveilla, persuadée de s'être juste assoupie, l'officier Koll se tenait à genoux et lui secouait délicatement l'épaule.

— Quelle heure est-il ? demanda Sarah.

— Près de 13 heures.

— Comment ça s'est passé ? Vous avez appris quelque chose ? demanda-t-elle en se rasseyant.

— Non. Christopher confirme le caractère calme mais taciturne d'André Vassili et Jessica m'a expliqué que leurs échanges s'arrêtaient à bonjour et au revoir.

— Et les voisins ?

— Rien de plus que ce que l'on sait déjà.

— Alors allons-y. Il faut creuser la piste du dernier déplacement de mon père.

Sarah s'installa au volant du véhicule de police et entra les coordonnées de leur destination dans le GPS. Rapidement, ils quittèrent la capitale et empruntèrent l'autoroute du Nord. Au bout d'une vingtaine de minutes, ils en sortirent pour emprunter une petite route qui montait à travers une forêt de sapins, et les mena jusqu'à un plateau.

— Il faut prendre à droite, juste là, dit Adrian en désignant un chemin qui s'enfonçait dans la forêt.

Ils s'engagèrent dans cette direction en roulant au pas. « Vous êtes arrivés à destination », annonça le système de navigation. Ils n'étaient arrivés nulle part, si ce n'est au bout d'une impasse encerclée de conifères si hauts qu'ils grignotaient le peu de lumière filtrant à travers le couvercle de nuages.

Sarah coupa le moteur et descendit du véhicule. Le silence était absolu. Pas même le chant d'un oiseau.

— Il n'y a rien ici, lança Adrian. On perd notre temps.

— Vous avez peur ?

— Je pense juste qu'on ferait mieux d'aller presser la scientifique de nous fournir les résultats de l'analyse du portable au lieu d'errer dans un *no man's land*.

Sarah s'enfonça malgré tout dans la forêt. D'habitude, la nature l'apaisait, mais à cet instant, quelque chose l'oppressait. Elle tentait d'analyser ce qui suscitait en elle ce malaise, quand elle repéra plusieurs branches fraîchement cassées à la hauteur de son visage. C'était ça. Cet endroit était sauvage, mais on y devinait une présence humaine. Elle suivit la percée que dessinaient les branches brisées et s'arrêta net : au-dessus d'elle, un crâne se balançait au bout d'une corde.

— Qu'est-ce que c'est que ça ? souffla Adrian qui l'avait rejointe.

L'os suspendu était celui d'un animal. Une chèvre, si l'on se fiait aux cornes.

Ils progressèrent en silence et découvrirent encore d'autres suspensions macabres. Jusqu'à ce que Sarah lève le poing pour intimer à Adrian l'ordre de ne plus bouger.

À une dizaine de mètres, elle venait d'apercevoir une cabane en bois.

18

Ils enfoncèrent la porte avec le bélier et Stefen entra le premier, arme au poing. Derrière lui, quatre membres des forces spéciales firent irruption dans le studio. La pièce était vide. Deux des hommes se précipitèrent vers la seule porte de l'appartement et tandis que l'un l'ouvrait l'autre braquait son arme vers l'intérieur.

— Personne.

Stefen fouilla l'endroit du regard et fit entrer un membre de la brigade cynophile. Le malinois tenu en laisse se déplaça droit vers le radiateur. Il se figea et dirigea son regard fixement vers le sol.

— Elle était là, déclara le maître-chien.

— Tout le monde dehors et faites venir la scientifique !

Le commando quitta la pièce dans un bruit de bottes. Stefen les rejoignit dans le couloir.

— Merde ! lança-t-il en écrasant son poing contre le mur.

Les hommes des forces d'intervention se gardèrent de commenter le geste de leur commandant, mais il était clair qu'ils n'étaient pas habitués à le voir perdre ses nerfs.

Des officiers vêtus de la combinaison de la police scientifique apparurent sur le palier.

— Vite ! aboya Stefen.

— Commandant…

— Quoi ?

Une femme officier l'invita à s'éloigner du groupe amassé devant l'appartement. Stefen s'y résolut à contrecœur.

— Qu'est-ce qu'il y a encore ?

La jeune femme hésita un instant avant de parler.

— Au risque de passer outre mes fonctions, je me permets de vous dire que vous stressez les équipes, mon commandant.

— Ce n'est pas votre problème.

— Non, mais je peux vous assurer qu'ils travaillent moins bien dans ces conditions.

Stefen tourna la tête.

— Mon commandant, nous savons tous à quel point cela doit être difficile pour vous. Et vous pouvez être certain que chacun d'entre nous donne le meilleur de lui-même.

Stefen soupira.

— C'est courageux de votre part d'être venue me parler, officier Madsen.

— Le chien a une piste, mon commandant !

Le membre de la brigade cynophile les avait rejoints sur le palier. Son animal tirait au bout de sa laisse vers une sortie de secours.

— Habillez-vous en civil et remontez la piste, ordonna Stefen. On vous suit à cinquante mètres. *Go !*

19

Sarah et Adrian restèrent à l'abri des regards derrière les arbres et observèrent la cabane un moment. Ils ne constatèrent ni mouvement ni autre signe de vie.

— Qui peut vivre ici dans un endroit pareil au fond des bois ? demanda Adrian.

— Donnez-moi votre arme, chuchota Sarah.

— Je l'ai laissée dans la voiture.

— Allez la chercher.

Adrian rebroussa chemin. Restée seule, Sarah continua d'observer la masure en bois perdue dans la forêt, quand, au bout d'une minute à peine, elle entendit un martèlement brutal dans son dos, comme si quelqu'un courait à toute allure dans un souffle enragé. Elle fit volte-face. Un rottweiler en furie se ruait vers elle. Elle s'enfuit en courant de toutes ses forces, mais n'avait pas franchi deux mètres lorsque le grondement guttural du chien atteignit son dos et que la bête lui saisit la jambe à pleine gueule. Sarah chuta sous le poids de l'animal en essayant de se protéger le cou et le visage. Elle hurla de terreur.

Mais, à sa stupéfaction, elle ne ressentit aucune douleur.

Elle entrouvrit la barrière de ses bras et aperçut le rottweiler, la langue pendante, assis à côté d'elle. Avec des gestes lents, elle se releva, surveillant le chien qui l'observait de ses petits yeux noirs perdus au milieu d'une espèce de tête d'ours.

— Il a reconnu sur vous une odeur. Vous avez eu de la chance.

Sarah distingua la silhouette d'une femme âgée aux allures de paysanne slave. Elle était vêtue d'une longue robe en laine brodée et coiffée d'un foulard d'où dépassaient quelques mèches blanches.

— Qu'est-ce que vous faites ici ? demanda-t-elle d'une voix apaisée.

Sarah, qui reprenait doucement son souffle, regarda le chien rejoindre sa maîtresse.

— Je cherche des informations sur…

Adrian surgit alors, son arme à la main.

— Pas bouger, Volos, ordonna la vieille dame à son animal.

Le poitrail tendu vers l'avant, les poils de l'échine hérissés, le rottweiler menaçait l'inconnu d'un intimidant grognement.

— Adrian, rangez votre arme, dit Sarah.

Ce dernier s'exécuta.

— Vous cherchez des informations sur qui ? demanda la vieille femme.

Sarah fit un pas en avant.

— Je peux m'approcher ? demanda Sarah à la vieille femme.

— Vous, oui.

Sarah sortit son téléphone portable de sa poche et montra à la propriétaire des lieux une photo de son père.

— Connaissez-vous cet homme ?

— Vous êtes Sarah ?

— Comment le savez-vous ?

— Il m'a montré des photos de vous.

Sarah jeta un coup d'œil vers Adrian comme pour lui dire de se tenir prêt à intervenir. Elle le vit resserrer sa poigne autour de la crosse de son arme maintenue le long de sa cuisse.

— Je suis inspectrice de police et voici l'officier Koll qui travaille avec moi.

Adrian présenta son badge.

— Mon père a été assassiné, reprit Sarah. Le GPS de sa voiture nous a amenés jusqu'à vous. J'ai besoin de savoir ce qu'il est venu faire ici.

— Assassiné…, répéta la vieille femme, sous le choc.

Elle serra un médaillon à son cou en marmonnant quelques mots.

— Suivez-moi, reprit-elle.

Suivi de sa maîtresse et de Sarah, le rottweiler trottina vers la petite cabane au toit pointu d'où s'échappait une épaisse fumée. Adrian resta en retrait.

Sarah remarqua la singularité de la cabane, construite sur quatre pilotis de bois sculptés en forme de pattes de poule.

— Qui êtes-vous exactement ?

— Une gentille Baba Yaga, répondit la vieille femme.

Sarah avait déjà entendu ce nom. Probablement dans un livre de contes qu'elle avait lu à Simon à l'époque où elle vivait auprès de lui. Dans son souvenir, Baba Yaga était une méchante sorcière de la mythologie russe qui vivait dans une maison montée sur des pattes de poulet.

— Comment vous appelez-vous ?

— Yéléna Russki.

— Et vous vivez seule ici ?

— Depuis la mort de mon mari, oui.

Elles gravirent quelques marches faites de planches de bois et entrèrent dans la cabane. Un déluge d'effluves, fleuris, fumés, lourds et piquants, assaillit Sarah. Il n'y avait qu'une seule pièce avec, dans un coin, un lit recouvert de fourrure. Un feu crépitait dans un âtre noir. Des étagères chargées de pots en verre remplis de poudres, de feuilles et de plantes, mais aussi de pierres et parfois d'ossements recouvraient les murs. Au centre de la pièce se trouvaient une table et deux chaises qui se faisaient face. La vieille dame invita Sarah à s'asseoir tandis que le chien se couchait près du feu et qu'Adrian restait debout près de la porte d'entrée, son arme toujours en main, un pied calé contre la porte pour la maintenir ouverte.

Yéléna Russki dénoua le foulard qui couvrait sa tête, révélant sa chevelure blanche.

— Je suis navrée pour votre père, dit-elle. C'était un homme qui se battait pour aller mieux. J'ignorais que chez lui, l'ennemi n'était pas qu'intérieur.

— Comment ça ?

— André Vassili voulait que je l'aide à se débarrasser des démons qui le hantaient. Il avait déjà tout essayé – psychanalyse, antidépresseurs, méditation –, mais le malheur ne le quittait pas.

— Des démons…, reprit Sarah. Quels étaient ses problèmes exactement ?

— Il disait que c'étaient des souvenirs d'il y a long-temps. Des choses qu'il voulait effacer de sa mémoire. Pas tant pour lui que pour le mal qu'il était conscient de vous faire à vous, votre sœur et votre mère.

Les paroles de la vieille femme remuèrent Sarah. C'était la première fois que quelqu'un lui parlait de son père comme d'un homme soucieux de protéger sa famille.

— Le démon de votre père était puissant, très puissant. J'ai essayé de nombreuses méthodes sur lui. Certaines ont fonctionné quelque temps, mais il finis-sait toujours par m'annoncer que *c'était* revenu. Je suis tellement désolée de n'avoir pu l'aider.

— C'est vous qui lui avez donné ça ? demanda Sarah en déposant l'améthyste sur la table.

— Oui, je lui ai remis cette pierre hier.

— À quelle heure ?

— En fin d'après-midi.

— Et vous, où étiez-vous hier soir ?

— Ici, comme toujours.

— Quelqu'un pour le confirmer ?

— À part Volos, non.

— De quoi vivez-vous ? insista Sarah qui trouvait l'existence de cette femme bien étrange.

— Des dons de mes patients. Ils ne me paient pas. Ils m'apportent à manger et parfois de quoi m'habiller.

Sarah regarda autour d'elle la multitude des fétiches et objets suspendus qui évoquaient la sorcellerie.

— Mon père est mort les extrémités des membres glacées, la bouche écartée, le corps recouvert de farine. On dirait presque un rituel… Vous pourriez m'éclairer ?

Yéléna Russki fronça ses longs sourcils gris, l'air désorientée.

— Je… Je ne connais pas ce type de rituel, comme vous dites. Pour la guérisseuse que je suis, cela n'a aucun sens.

— Nous allons devoir relever vos empreintes, madame Russki.

— Vous pensez que j'ai pu tuer votre père ?

— Vous avez peut-être été la dernière personne à l'avoir vu vivant. Que vous le vouliez ou non, vous avez un rôle dans cette affaire.

— Je comprends…

— Adrian ? appela Sarah.

— J'ai entendu, je vais chercher la mallette.

Sarah fit glisser son doigt sur l'améthyste toujours posée sur la table.

— À quoi devait servir cette pierre ?

— À absorber les énergies malfaisantes d'un lieu.

— Sa maison ?

— Peut-être. Je ne sais pas où il habitait, mais il m'avait donné une photo de l'endroit en question afin que je puisse y projeter mes prières et mes invocations.

La vieille femme se leva et tira un coffre rangé sous son lit. Elle fouilla à l'intérieur et revint avec un cliché qu'elle déposa sur la table.

— C'est là-bas, m'avait-il dit, qu'il fallait que je concentre toutes mes forces de pureté et d'apaisement.

Sarah frémit. La photo était celle d'un majestueux manoir qu'elle n'avait jamais vu de sa vie.

— Voici la mallette, annonça Adrian.

Le chien se dressa sur ses pattes, mais sa maîtresse le rappela à l'ordre. Sarah s'empara des tampons et des buvards afin de procéder au relevé des empreintes de la vieille dame. Elle lui demanda également quelques cheveux pour les analyses ADN. Yéléna Russki se prêtait à l'exercice sans résistance, quand le téléphone de Sarah sonna.

— Inspectrice Geringën ? C'est Erika Lerstad. L'informaticien a réussi à entrer dans le téléphone.

— Et ?

— Il a récupéré la liste des appels des dix derniers jours. Premier point, aucun appel n'a été passé depuis ce téléphone.

Sarah ragea intérieurement.

— En revanche, il en a reçu, plusieurs. Et toujours du même numéro.

Sarah se leva et sortit de la cabane.

— Il appartient à qui ?

— C'est un numéro de téléphone sans abonnement. Impossible de le savoir. Et la ligne n'est plus en fonction.

— Les appels étaient passés d'où ?

— C'est justement ça qui est bizarre. Ils étaient tous passés du même endroit. Le responsable télécom nous a rejoints. On devrait avoir le résultat de la localisation d'ici à une trentaine de minutes.

— J'arrive.

Sarah s'empara de la photo du manoir.

— Nous reviendrons peut-être, déclara Sarah à la guérisseuse. Tâchez alors de tenir votre chien.

Et sur ces mots, Sarah et Adrian quittèrent la cabane et rejoignirent leur voiture au pas de course.

20

Aux effluves tièdes de transpiration d'une pièce mal aérée se mêlaient les arômes de café. Dans l'open space du commissariat dédié aux investigations téléphoniques, un seul informaticien travaillait devant son ordinateur. Son bureau était encombré d'appareils d'où émergeaient des amas de fils comme autant de tentacules. À ses côtés se tenait la technicienne scientifique, Erika. Sarah se planta derrière eux, suivie d'Adrian. Découvrant trop tard la présence de l'inspectrice, la technicienne retira vivement sa main de l'épaule du jeune homme.

— Je vous présente notre informaticien, qui… a bien voulu traiter votre demande en priorité.

Son sourire gêné laissa entendre que les deux étaient intimes. Sarah en fut soulagée : l'homme ne trahirait pas sa petite amie en dénonçant sa présence. Elle salua un homme d'une trentaine d'années, à moitié chauve, le visage tiré de fatigue. Il répondit d'un signe mou, sans quitter son écran des yeux.

— Tenez, dit Sarah en tendant les sachets hermétiques qui contenaient les relevés d'empreintes et d'ADN de Yéléna Russki. À comparer avec les traces retrouvées sur la scène de crime.

— D'accord, répondit Erika. Je vous fais ça au plus vite.

— Au fait, qu'ont donné les premières analyses ADN ?

— Rien, malheureusement. Aucune autre empreinte, à part celles de votre père…

Sarah hocha la tête et scruta l'écran de l'ordinateur. La région dessinée était celle du comté de Hedmark, à trois heures au nord d'Oslo. Elle ne l'avait jamais visitée, mais d'après la carte satellite, elle était immensément boisée et, hormis un modeste hameau d'une dizaine de maisons, on n'y distinguait aucune habitation.

— Vous voyez, sur les cinq appels que nous avons pu retracer, les antennes relais activées sont toujours les mêmes. Ces trois-là, dans les environs du village de Risberget.

L'informaticien cliqua sur sa souris et les trois points indiquant les antennes mobiles furent reliés par trois lignes droites formant un triangle.

— Agrandissez, s'il vous plaît, ordonna Sarah.

— L'appel a pu être passé de n'importe où dans cette zone, commenta l'informaticien. Peut-être de cette maison, de celle-là ou de cette ruelle. Impossible de le savoir plus précisément.

— Avez-vous retrouvé des SMS dans le téléphone ? questionna Sarah sans s'arrêter de fouiller le plan du regard.

— Non, aucun.

— Des messages vocaux ?

114

— Ce n'est pas impossible, répondit l'informaticien dans un bâillement. J'ai identifié une présence sonore dans la mémoire de la puce. Mais pour y accéder, il va d'abord falloir faire le tri avec toutes les informations parasites.

— Il a déjà commencé, s'empressa d'ajouter la policière qui connaissait la cadence de l'inspectrice. Les données devraient être accessibles d'ici à quatre ou cinq heures. On cherche quoi au juste ? demanda Erika.

— On cherche…

Sarah s'interrompit.

Elle fouilla dans la poche intérieure de sa parka.

— Voici ce que l'on cherche, déclara-t-elle en posant la photo du manoir. Agrandissez au maximum.

L'informaticien s'exécuta.

— Éloignez-vous du village, ordonna Sarah. D'après ce que l'on voit sur la photo, le manoir est entouré d'arbres et d'un grand terrain. Il est fort probable qu'il soit dans un lieu éloigné de toute autre construction.

— Vous voulez examiner toute la forêt autour ?

Sarah n'eut pas besoin de répondre, Erika s'était déjà chargée d'infliger un coup de coude à son compagnon. L'informaticien s'exécuta et ils commencèrent à regarder chaque centimètre carré de forêt à la loupe.

— Attendez ! dit soudain Sarah. Là.

L'informaticien figea l'écran. Et l'évidence leur sauta aux yeux.

Au cœur de la forêt, à proximité d'un étang, au centre de la zone triangulaire, on discernait les contours d'un toit noyé dans la masse forestière.

21

Le GPS du véhicule affichait un trajet de deux heures et quarante et une minutes pour rejoindre le bourg de Risberget depuis Oslo.

Qui vivait dans cet endroit isolé et quel lien cette personne avait-elle avec son père ? Sarah se dirigeait-elle vers la résidence de l'assassin ?

Le gyrophare et la sirène alertaient tous les véhicules de l'arrivée d'une voiture de police lancée à pleine vitesse. Quand un conducteur ne se rangeait pas, Sarah n'hésitait pas à le doubler par la droite.

— Qu'a répondu le cadastre ? On sait qui est le propriétaire de cette maison ? demanda Sarah en voyant Adrian raccrocher son téléphone.

— Je suis tombé sur un répondeur. J'ai laissé un message. C'est un petit village… Ils n'ont peut-être même pas de mairie et encore moins une personne employée à plein temps pour l'administration.

Ils roulèrent une heure en silence jusqu'à des landes irriguées de lichens rouge vif qui serpentaient sur les rochers comme autant de veines. Les façades des rares maisons qu'ils dépassaient étaient peintes d'un ocre foncé surligné de boiseries blanches, mais leur tentative pour égayer le paysage échouait sous le ciel de béton. Plus ils avançaient vers le nord, plus la journée prenait des allures de crépuscule glacé. Juste avant de quitter l'autoroute, ils s'arrêtèrent boire un café et manger un sandwich. Puis ils rejoignirent une route de campagne râpeuse et déserte. Sarah éteignit le gyrophare et ralentit.

Les prairies s'évanouirent pour laisser place à une forêt de conifères serrant de près la chaussée vallonnée qui gagnait en altitude. Ils n'étaient plus qu'à une vingtaine de minutes de Risberget. Sarah avait bien entré les coordonnées satellite de leur destination, mais le système ne parvenait pas à localiser de route pour les y conduire.

— Je ne sais pas comment vous faites pour être si calme en enquêtant sur l'assassinat de votre propre père, dit soudain Adrian.

« Je ne suis pas calme, je suis concentrée », faillit répondre Sarah.

— Vous étiez proche de lui ? renchérit Adrian.

— Il parlait peu.

— Ça doit être de famille, osa l'officier avec un petit sourire.

Sarah ne releva pas.

— Pardonnez-moi, s'excusa-t-il devant le silence de Sarah.

— Mon père était très réservé. Je ne sais pas grand-chose de lui.

Sur les bas-côtés, on vit apparaître des piquets à l'extrémité réfléchissante en prévision des couches de neige qui ne tarderaient pas à former d'épaisses congères. Au-dessus de leurs têtes, les cimes des sapins se joignaient en ogive, pour former un tunnel.

— On devrait approcher, dit Adrian.

Et pourtant, aucun panneau n'indiquait un village ou une quelconque habitation à proximité.

Jusqu'à ce qu'ils débouchent sur un plateau où Sarah eut l'impression d'entrer dans l'une de ces villes fantômes de l'Ouest américain. La dense forêt d'épineux avait été éclaircie pour permettre la construction d'une poignée de maisons en bois aux abords de la route. Mais pas une lumière ne filtrait par les fenêtres. Personne dehors, pas même un chien ou un chat curieux se faufilant entre les écharpes de brume. Le hameau aurait pu être endormi, mais, figé dans son silence, il avait plutôt l'air mort.

Sarah roula au pas, cherchant un signe de vie.

— Là ! lança soudain Adrian. On dirait que c'est ouvert.

Sur sa droite, Sarah distingua le clocher d'une église luthérienne dont la porte était entrebâillée. Elle se gara et descendit du véhicule, suivie d'Adrian. Le crissement des bottes sur le gravier se mêla à l'écho lointain d'un cri d'oiseau.

Poussant la porte de l'édifice, Sarah découvrit une chapelle qui, dépourvue de vitraux, ne devait sa lumière qu'à la flamme de trois cierges devant un austère retable. De chaque côté de l'allée centrale, une volée d'alcôves en bois menait jusqu'à un autel devant lequel deux silhouettes étaient agenouillées. Tandis que Sarah et Adrian s'en approchaient, les deux personnes se retournèrent. Une femme âgée et un homme tout aussi vieux. Ils dévisagèrent Sarah et son partenaire.

— Excusez-moi de vous importuner, dit Sarah à voix basse, mais je cherche un chemin pour rejoindre cette maison. Elle n'est censée être qu'à quelques kilomètres d'ici…

Elle leur tendit son téléphone. Ils étudièrent longuement l'écran et échangèrent un regard. L'homme baissa la tête et la femme parla d'une voix méfiante :

— Qu'est-ce que vous cherchez là-bas ?

— Je suis inspectrice de police et j'ai besoin d'interroger les propriétaires de la maison. Vous les connaissez ?

La vieille femme se leva et marcha vers la porte de l'église sans un mot. Stupéfaite, Sarah la laissa partir, mais retint le mari qui ramassait sa canne posée contre un banc.

— Qu'est-ce qu'il y a là-bas ? Pourquoi vous ne répondez pas ?

Le vieillard leva ses yeux fatigués.

— On n'aime pas cet endroit.

— Pourquoi ?

— Parce qu'on n'a jamais su qui y habitait…

— C'est tout ?

— Je suis déjà allé chasser dans les environs, reprit-il, et je n'ai jamais vu autre chose qu'une silhouette à travers les rideaux. C'est bizarre, non, une personne qui vit toute seule dans cette grande baraque paumée dans les bois ?

— Comment s'y rend-on ?

— Il y a un chemin forestier sur la droite à deux cents mètres. Quand vous arriverez à la grande croix, suivez la route de droite et vous tomberez dessus.

Sarah s'effaça pour laisser passer le vieil homme, qui rejoignit le portail.

— On ne peut pas dire que ce soit engageant comme première approche, commenta Adrian lorsqu'ils furent revenus dans la voiture.

Ils laissèrent le bourg inanimé derrière eux et finirent par repérer le chemin qu'avait indiqué le vieillard. À l'arrêt, le clignotant résonnait de son lancinant tic-tac tandis que Sarah scrutait avec malaise l'épais brouillard à l'entrée de la forêt. À l'abri du vent, il enveloppait les troncs à la façon d'une fumée d'incendie immobile. N'importe quoi ou n'importe qui pouvait se tenir à quelques mètres sans qu'ils le voient. Adrian se pencha vers la boîte à gants pour en sortir son arme qu'il glissa dans son holster, et ils roulèrent en silence vers l'inconnu.

De part et d'autre de l'allée de terre, les ombres des arbres décharnés les frôlaient. À plusieurs reprises, Sarah dut faire un écart précipité pour contourner des branches au sol ou des nids-de-poule boueux. La forêt était à l'abandon et l'on aurait pu se croire dans un lieu ignoré de la civilisation, si l'ombre surplombante d'une croix en métal rouillé n'était pas apparue devant eux, se découpant dans la grisaille. Sarah suivit la voie de droite. Plus étroite encore, elle disparaissait presque sous la végétation et les branches basses frottaient contre le pare-brise comme des ongles sur un tableau noir.

Le temps se dilatait dans cet air humide et opaque. Le trajet semblait interminable. Soudain, Sarah enfonça la pédale de frein. Une bête venait de surgir sur la route. Un chevreuil dardait sur eux ses yeux noirs. De la buée sortait de ses naseaux. Il bondit hors de leur vue aussi soudainement qu'il était apparu. Sarah reprit son souffle et Adrian, qui avait été prompt à sortir son arme, garda la crosse serrée entre ses doigts.

Ils roulaient presque à l'aveugle depuis près d'un quart d'heure, quand soudain Adrian s'exclama dans un souffle :

— Là-bas ! Vous voyez ?

Oui, Sarah avait vu. Émergeant des ombres de la forêt, deux piliers se dressaient comme des sentinelles guettant l'ennemi. Aux confins de cette épaisse végétation, ils encadraient un portail en fer forgé hérissé de piques.

Adrian retira le cran de sûreté de son arme.

Deux statues d'ours nichées au pied des piliers ouvraient méchamment leur gueule vers les visiteurs. L'arche qui reliait les deux poteaux était surmontée en son centre de la statue d'un vieil homme portant une longue barbe, un livre ouvert devant lui.

Sarah sortit du véhicule. Autour d'elle, pas un bruit, sinon le ronronnement du moteur. L'air trempé de la forêt l'enveloppa et la peau de son visage se couvrit d'une fine pellicule d'humidité.

Elle approcha à pas comptés du portail, scrutant autour d'elle, cherchant à repérer une caméra de surveillance. Prudemment, elle poussa du pied l'un des battants. Les gonds grincèrent et le portail s'ouvrit. À reculons, sans jamais relâcher son attention, elle regagna la voiture.

Les roues écrasant la terre molle, ils passèrent sous l'arche et progressèrent dans l'allée. La haie d'honneur d'arbres centenaires orientait le regard jusqu'à une gigantesque pelouse luisante de rosée au beau milieu de laquelle, émergeant du brouillard, se déployait la silhouette colossale d'un manoir. Sarah ne pouvait détacher son regard de cette grandiose apparition. Elle descendit de nouveau de la voiture, suivie d'Adrian. Face à la bâtisse, Sarah se sentit comme au pied du trône d'un monarque à qui l'on vient témoigner son respect et sa soumission.

La majestueuse façade, percée d'arcades gothiques au rez-de-chaussée et de larges balcons au-dessus, était flanquée de deux tours carrées.

C'est donc de cet endroit que les appels étaient passés vers le portable de son père, songea Sarah.

Elle scruta attentivement les fenêtres. Tous les volets étaient fermés. Sauf un, à l'étage.

22

Arrivés au pied du manoir, ils levèrent la tête vers la massive porte d'entrée surmontée d'un portique grec. Sarah tira sur la chaînette reliée à une cloche. Le tintement se perdit dans le brouillard. Aucune réponse, pas même un bruit de pas méfiants derrière la porte.

Sarah sortit la clé que lui avait donnée le légiste et tenta de la faire glisser dans la serrure, sans succès.

— Dans le coffre de la voiture, il y a un pied-de-biche, dit-elle en inspectant les jointures de la porte.

Quelques instants plus tard, Adrian lui apportait l'outil. Sarah s'y prit à plusieurs fois avant que le verrou lâche dans un craquement de bois et de métal. Elle tendit le pied-de-biche à Adrian et, le cœur palpitant, elle poussa le lourd battant. Le grincement des gonds fit écho sur la muraille de la forêt. Sarah chercha un interrupteur du bout des doigts et l'enclencha.

Derrière elle, l'officier Koll laissa échapper un souffle d'étonnement. La lumière venait de jaillir d'un lustre en bois cerclé de métal, suspendu au sommet d'un hall en ogive. Un magistral escalier en bois aux reflets caramel coulait jusqu'aux visiteurs en déroulant ses marches nappées de velours rouge. Sur le palier à mi-hauteur, qui se divisait pour embrasser le hall de deux longs bras distribuant le premier étage, une horloge scandait son tic-tac sec et régulier.

Sarah s'aventura plus avant. Ses bottines résonnaient sur le parquet, se confondant avec le battement de l'auguste horloge. Elle se dirigea vers la porte qui ouvrait sur l'aile droite du manoir. L'officier Koll prit la direction de la porte opposée.

En entrant dans la première pièce, Sarah découvrit un salon fantôme dont chaque meuble était recouvert d'un drap blanc. Elle en souleva quelques-uns pour ne dévoiler que des commodes aux tiroirs vides ou des fauteuils tristes. Les pièces en enfilade offraient le même décor de brocante et Sarah revint dans le hall.

Adrian sortit en face au même moment.

— Alors ? lui demanda Sarah.

— Des meubles vides sous des draps. Rien d'autre.

Sarah gagna le palier à mi-hauteur de l'escalier et s'attarda devant deux photographies qui encadraient l'horloge. Sur l'une, en noir et blanc, on reconnaissait la façade du manoir à une époque où le jardin devait être entretenu, témoin les alignements de bosquets taillés au cordeau, la vigne vierge domestiquée et les sentiers de sable sillonnant un gazon ras. Sur l'autre, la composition était plus étrange. Au premier plan, juchée sur un piédestal mangé par le lierre, une statue de femme au port solennel montrait son dos à l'objectif. Drapée dans un voile, elle était tournée vers la façade arrière du manoir. L'étendue d'eau que l'on distinguait entre elle et la bâtisse suggérait que la statue était érigée sur un îlot au milieu d'un étang ou d'un petit lac, d'où la photo avait été prise.

— Le luxe d'une île privée, commenta Adrian. Je vais voir les pièces à l'étage, côté gauche, si cela vous convient, ajouta l'officier.

Sarah s'engagea sur la deuxième partie de l'escalier, à droite, et prit son temps pour observer les autres photographies qui accompagnaient la montée des marches. On aurait dit une série de portraits, dont le modèle était ici le manoir pris sous différents angles qui permettaient de mesurer la splendeur du lieu à une époque lointaine.

Sur le palier, l'officier Koll ressortait déjà par une porte.

— Encore des pièces où les meubles sont recouverts de draps, lança-t-il. Il ne reste plus que celle qui est de votre côté.

Sarah tourna la poignée en forme de tête de vieillard et pénétra dans un petit salon. Là, aucun drap blanc ne recouvrait les meubles. Elle appuya sur un interrupteur et la lumière révéla un escalier en colimaçon dans un recoin, derrière deux profonds fauteuils et un guéridon. S'engageant dans l'escalier, elle déboucha au dernier étage du manoir, sur un modeste palier muni d'une seule porte. La pièce dans laquelle elle entra était baignée par la lumière crépusculaire provenant de la fenêtre. Celle dont les volets n'étaient pas fermés.

Sarah découvrit une chambre à coucher aux murs tapissés d'un tissu vert foncé et décorés de peintures de paysages, à l'exception d'un mur blanc qui faisait face à un grand lit à baldaquin. Dans une coiffeuse, Sarah dénicha deux brosses à cheveux, un tube de rouge à lèvres, une minaudière garnie d'un poudrier, un assortiment de maquillage et une série de pinceaux pour la bouche et les yeux. Un flacon de parfum était posé à côté du fond de teint. L'odeur la frappa comme un coup de poing : c'était celle qu'elle avait sentie dans la voiture de son père.

Elle était donc sur la bonne voie. Galvanisée, Sarah fouilla dans l'armoire. Elle y trouva des robes et quelques pantalons suspendus à des cintres. Sur une série d'étagères, des sous-vêtements féminins, des chemises et des pulls. Dans l'une des deux tables de chevet étaient rangés une lampe de poche, une plaquette de somnifères ainsi qu'un ouvrage de généalogie, fréquemment consulté à en juger par l'état de sa couverture.

— Dites-moi ce qu'il y a dans l'autre table, demanda-t-elle à l'officier, de peur d'y découvrir ce qu'elle redoutait.

Adrian ouvrit le tiroir.

— Il est vide.

Sarah ne savait pas si elle devait être soulagée ou plus intriguée encore de ne pas déceler de traces de son père.

Lorsqu'elle voulut feuilleter l'ouvrage de généalogie, un papier s'en échappa. Elle se baissa pour ramasser un carré blanc et le retourna. Son cœur se serra. Il s'agissait d'une photo. Une photo qu'elle ne connaissait que trop bien puisque c'était celle que son père exposait dans son bureau.

— Qu'est-ce que ça fait ici ? laissa échapper l'officier Koll.

Sarah se sentit souillée en sachant cette image entre les mains de cette inconnue. Pourquoi cette femme possédait-elle cette photo ? L'hypothèse la plus évidente traversa l'esprit de Sarah. Son père avait une maîtresse qu'il venait retrouver ici en cachette. Jalouse de la vie de famille d'André Vassili, elle avait fini par le tuer. Ce scénario expliquait cependant assez mal les membres brûlés à l'azote liquide et la farine dispersée sur le corps.

D'autant que la présence de cette photo dans un livre de généalogie ouvrait d'autres hypothèses. Sarah commençait tout juste à y réfléchir, quand son téléphone sonna dans sa poche.

— Inspectrice Geringën, c'est Erika Lerstad.

— Oui...

— Je vous appelle d'un autre poste que le mien parce qu'il est délicat de vous joindre depuis que l'article est sorti dans la presse.

— Merci de prendre le risque. Qu'est-ce que vous vouliez me dire ?

— Nous avons récupéré le message audio laissé sur le portable de votre père.

— Qui est-ce ?

— Une femme.

— Que dit-elle ?

— Je... Je préfère que vous écoutiez par vous-même. Je vous l'envoie via messagerie sécurisée. Le message date du 8 octobre. Deux jours avant la mort de votre père.

Sarah s'assit sur le rebord du lit, guettant son téléphone, sous le regard grave de l'officier Koll.

23

Une notification sonore indiqua la fin du chargement d'un document audio. Sarah enclencha le haut-parleur de son portable et appuya sur la touche lecture. La voix du père de Sarah déroula son message répondeur.

« Répondeur d'André Vassili. Laissez votre message. »

Puis une voix féminine, aux intonations cassantes et aux inflexions angoissées, crépita sur la bande sonore.

« C'est moi, Ivana. Je sais que tu n'as pas envie de m'entendre. Que tu préférerais que je me taise à jamais. Tu voudrais même m'empêcher d'exister. Tu sais que c'est impossible. Et tu sais aussi que je ne te laisserai pas tranquille tant que tu ne leur auras pas dit la vérité. Tu dois leur dire qui tu es vraiment ! Tu ne peux plus cacher ce que tu as fait. Et ne cherche pas à détruire les preuves, je les ai cachées, là où tu n'oseras jamais aller les chercher. Je ne peux pas les leur donner moi-même. Je ne veux pas leur infliger cette vision. Mais si tu venais à manquer de courage, je garde tout ce que tu as écrit. Toutes ces confessions qui leur sont adressées et que tu as voulu brûler par lâcheté. Je les garde pour qu'un jour, elles lisent la vérité. »

Sarah laissa retomber sa main sur sa cuisse, un maelström de questions tournoyant dans son crâne. De quel acte secret cette femme parlait-elle ? Pourquoi voulait-elle forcer son père à se confesser ? Et surtout, qui était cette Ivana ? Ce nom ne lui disait rien.

Et pourtant, cette voix ne lui était pas étrangère. Il n'y avait aucune évidence, juste quelque chose de vaguement familier. Elle passa en revue les membres féminins de son entourage et exclut rapidement ses connaissances professionnelles – cela n'avait aucun sens. Elle se concentra plutôt sur les membres de sa famille. À qui lui faisait penser cette voix, en dehors de sa mère et de sa sœur ? Son père était fils unique, ce n'est pas de son côté qu'il fallait chercher. Ne restait que sa tante Ingrid, la sœur de sa mère.

Sarah s'était longtemps très bien entendue avec elle, mais les relations s'étaient distendues dix ans plus tôt quand sa mère s'était fâchée avec sa sœur pour une raison qu'elle ignorait. Et à bien y réfléchir, il n'était pas impossible que sa voix lui rappelle celle du message.

— Officier Koll, appelez ma mère et demandez-lui le numéro de sa sœur.

Adrian s'exécuta et dut argumenter quelques instants au téléphone pour obtenir ce qu'il désirait.

Quand Sarah composa les chiffres sur l'écran de son appareil, elle avait la gorge sèche. Elle enclencha le haut-parleur de son téléphone.

— Enregistrez la conversation.

Au bout de la cinquième sonnerie qui résonna dans la chambre aux murs capitonnés, quelqu'un décrocha.

— Oui, allô ? répondit une voix de femme jeune sur un ton doux.

— Bonjour, je souhaite parler à Ingrid Jorsen, demanda Sarah, déstabilisée.

— De la part de ?

— Sa nièce, Sarah.

Un court silence s'ensuivit. On entendit des chuchotements.

— Je vous la passe.

Une voix âgée se fit entendre.

— Sarah... ma Sarah ?

— Oui... tante Ingrid.

Sarah était émue d'entendre cette tante dont elle avait été si proche.

— Comment vas-tu, ma chérie ? On lit tellement de choses sur toi.

— Ça va, mentit Sarah.

— Mais si tu m'appelles, c'est que quelque chose te perturbe...

— Papa est mort.

— Quoi ?

— Il a été assassiné.

— Oh ! mon Dieu... Ne me dis pas une chose pareille. Ce n'est pas possible.

— Je sais, moi non plus je n'arrive pas à y croire.

— Mais... qui l'a tué ?

— Nous ne le savons pas encore.

— Oh ! ma pauvre chérie... Je... C'est arrivé où ?

— Il a été retrouvé à la maison, dans son bureau.

— Ta mère...

— Elle n'a rien. Elle n'était pas là quand c'est arrivé. Mais c'est justement à propos d'elle que je t'appelle.

— Dis-moi ce que je peux faire pour toi ?

— J'aimerais savoir pourquoi vous vous êtes fâchées, maman et toi.

— Ah ! cette histoire… J'imagine que tu tiens à ce que je te réponde, même si c'est désagréable à entendre ?

— Oui.

La tante de Sarah soupira avant de parler.

— Eh bien, comme tu le sais, ton père était un homme compliqué. Ou plutôt fermé. Je ne t'apprendrai pas qu'il parlait peu et surtout qu'il ne témoignait jamais son affection. Ta mère en souffrait. Et puis un jour, j'ai compris qu'elle était en dépression. Une dépression profonde. Alors je lui ai dit qu'elle devait quitter ton père. Tout de suite. Ta mère l'a mal pris. Le ton est monté. Je l'ai traitée de lâche si elle ne divorçait pas. Ç'a été le mot de trop…

— Mon père a su ce que tu avais dit ?

— Probablement. Et tu sais quoi ? J'ai toujours eu l'impression qu'il attendait que ta mère le quitte. Il n'avait pas le courage de provoquer la rupture et espérait qu'elle ferait le premier pas. Oh ! je suis tellement désolée d'entendre tout ça.

Sarah était touchée par les paroles de sa tante, mais ne pouvait s'empêcher de les mettre en doute.

— Est-ce que le nom d'Ivana te dit quelque chose ?

— Non, ça ne me rappelle rien. Si ce n'est que ça sonne russe… Et comme tu le sais, ton père est arrivé en France à l'âge de douze ans, et il était originaire de Russie.

Cette Ivana appartenait-elle à ce passé russe dont son père ne parlait jamais ? Peut-être que sa mère en saurait plus.

— Une dernière question, dit Sarah. Qui est la femme qui a décroché ?

— Oh ! c'est l'infirmière qui était en train de me faire mes soins.

— L'infirmière ?

— Je me suis fait opérer de la hanche la semaine dernière et je suis en convalescence. Ce n'est rien. Mais toi... enfin... j'aimerais tellement te revoir, te parler, comme avant.

— Merci, tante Ingrid. Je te rappellerai plus tard, promis.

— Je t'embrasse, ma Sarah.

Après quelques secondes d'un silence respectueux, Adrian secoua la tête.

— Votre tante Ingrid n'est pas celle qui a laissé le message sur le portable de votre père. Ce n'était pas la même voix, conclut-il.

— Et si elle avait modifié sa voix sur le répondeur ? On ne peut pas être sûrs à cent pour cent. Il faut une expertise. Et pour ma sœur et ma mère aussi. Même si...

— D'ailleurs, j'imagine que vous voulez appeler votre mère pour cette Ivana ?

Sarah avait déjà composé le numéro et posa le portable sur son oreille.

— Allô ?

La voix de Camilla était fébrile et Sarah eut un pincement au cœur.

— C'est moi.

— Sarah, ma chérie ? Mon Dieu... comment vas-tu ? Où es-tu ?

— Et toi surtout, comment vas-tu ?

— Je ne sais pas quoi te dire. Je suis sous le choc. Effondrée. Tout cela est insensé. Insensé ! Je ne comprends pas comment une chose pareille a pu arriver…

La voix de sa mère se brisa en sanglots. La gorge de Sarah se serra. Elle regarda vers le plafond, dans l'espoir de contenir ses larmes.

— Je suis désolée, ma chérie, tu dois être tout aussi abattue que moi et je ne suis même pas capable de te soutenir. Mais c'est tellement dur…. Tu as vu Jessica ?

— Je vais essayer. Mais maman, est-ce que je peux juste te poser une question ?

— Oui, bien sûr, je t'écoute.

— Ivana, ça te dit quelque chose ?

— Ivana ? Non, pourquoi ?

Sarah ne répondit pas.

— Tu enquêtes, c'est ça ? Ce n'est pas officiel, mais c'est toi qui enquêtes… C'est pour ça que tu n'es pas venue nous voir, Jessica et moi. Tu veux des réponses… comme toujours.

— Maman, je fais de mon mieux pour tenir debout.

— Je sais, ma chérie, je sais. Et tu vas tenir, parce que tu es la plus forte.

— Ouais, lâcha Sarah dans un filet de voix.

— Alors dis-moi, qui est cette Ivana ? Sa maîtresse ? Tu peux me le dire, tu sais ? Je ne suis plus à ça près.

— Non, je ne sais pas qui c'est. Écoute, je ne vais pas pouvoir te parler plus longtemps.

— Sarah, tu n'es pas obligée de tout me dire, mais fais une chose pour moi : sois prudente.

— Je le serai. Je t'embrasse, maman.

— Je t'aime.

Sarah raccrocha en laissant échapper un profond soupir. Entendre la voix de sa mère et ressentir sa confiance lui avait fait du bien. Et même si elle n'avait rien appris de plus sur l'identité de cette Ivana, elle se sentait un tout petit peu moins vulnérable.

— Alors ? lui demanda Adrian qui était resté à côté. Le prénom d'Ivana lui dit quelque chose ?

— Non, rien, avoua Sarah.

Ne restait plus qu'à faire déplacer une équipe scientifique pour procéder à des relevés d'ADN dans la chambre. Mais si la femme qui vivait ici n'était pas dans les dossiers de la police, ils n'isoleraient aucune correspondance et Sarah repartirait de zéro. Elle appela Erika Lerstad et lui expliqua comment la rejoindre au manoir, en insistant pour qu'elle se déplace avec son matériel d'analyse.

Adrian et elle avaient trois bonnes heures devant eux pour poursuivre l'exploration de la maison. À commencer par cette chambre. Il fallait qu'ils trouvent cette cachette qu'évoquait l'inconnue sur la messagerie.

Comme s'il avait devancé ses pensées, l'officier Koll faisait déjà le tour de la pièce, inspectant chaque recoin avec minutie. Devant le grand mur nu qui faisait face au lit, il frappa à plusieurs endroits dans l'espoir d'y entendre un son creux.

En le voyant faire, Sarah se demanda pourquoi ce mur était tout blanc quand le reste des parois était richement décoré. Y avait-il eu quelque chose à la place, auparavant ? À moins que…

Sarah eut une intuition. Elle recula de quelques pas et se mit à plat ventre pour regarder sous le lit avec sa lampe torche.

— Là ! souffla-t-elle.

Dans le rayon de sa lampe se découpaient un carton et un coffret en bois.

— Qu'est-ce que c'est ? demanda l'officier Koll.

Sarah ramena les deux objets jusqu'à elle. La cassette, qui avait la taille d'une boîte à chaussures, était fermée par un cadenas, tandis que le carton était à moitié ouvert. Sarah en déplia les rabats : un lecteur de vidéo à rétroprojection. Une clé USB était insérée au dos de l'appareil.

L'esprit de Sarah s'électrisa. Elle mettait enfin la main sur quelque chose qui pouvait lui apporter des réponses.

— Voilà à quoi sert le mur blanc, commenta Adrian qui procédait déjà, mais avec un peu de difficulté à cause de son bras dans le plâtre, aux branchements du rétroprojecteur.

Sarah secoua le coffret en bois cadenassé. Quelque chose cognait contre les parois. Elle pensa tout de suite à la clé qu'elle portait sur elle, mais la serrure était bien trop petite.

— Adrian, votre arme.

L'officier la jaugea du regard avant de lui tendre son HK-P30.

Sarah s'en empara et assena deux coups de crosse sur le cadenas du coffret. Le métal céda rapidement. Un genou à terre, elle posa ses doigts gantés de chaque côté du couvercle et le souleva avec précaution.

24

Au fond de la boîte se trouvait un os.

Sarah effleura les débris de l'os du bout de ses doigts gantés.

— C'est quoi ? demanda Adrian de sa voix grave.

Sarah n'était pas une experte en anatomie, mais elle avait assisté à suffisamment d'autopsies et visualisé autant de radiographies de corps de victimes pour savoir que cet os longiligne était celui d'une phalange.

Elle l'inspecta de plus près. Compte tenu de sa petite taille, elle provenait sans conteste de la main d'un enfant.

Sarah reposa l'os dans la boîte en tremblant et referma le couvercle.

— Ça va ? s'inquiéta Adrian.

Sarah venait-elle de trouver les preuves évoquées dans le message ? Encore trop tôt pour le confirmer. Elle avait besoin d'en savoir plus. Elle désigna le rétro-projecteur du menton. Adrian tira les rideaux de la fenêtre, puis enclencha l'appareil qu'il avait posé sur le lit. La clé USB ne contenait qu'un fichier, une vidéo de deux minutes enregistrée sous le titre « Bulles ». Après avoir réussi à calmer sa respiration, Sarah enfonça le bouton de lecture.

L'écran se teinta de bleu, l'image sauta et sur l'écran apparurent deux petites filles courant dans un jardin. Chacune essayait d'attraper la première des bulles de savon qu'une femme façonnait à côté d'elles. Sarah se reconnut à l'âge de six ou sept ans. Elle n'avait jamais vu ce film.

— Allez, papa, viens jouer avec nous ! s'écria Sarah en se retournant vers la caméra.

Les deux sœurs sautaient et exultaient de joie sous les encouragements de leur mère au sourire resplendissant. Mais la caméra zooma sur le visage de Camilla et, vu de près, son regard n'offrait que tristesse et épuisement. Le gros plan se maintint longtemps, comme si le père de Sarah voulait s'infliger la douleur de son inconsolable épouse. Puis la caméra se dirigea de nouveau vers les fillettes.

— Sarah ! Jessica ! Vite, avant qu'elles ne touchent le soleil !

Sarah et sa sœur s'évertuaient de plus belle à faire éclater les bulles.

— C'est bien, mes filles ! criait André Vassili, tenant toujours la caméra.

— Papa, elles vont trop haut, vite, viens nous aider !

L'objectif basculait lentement vers Camilla. Un voile de larmes couvrait ses yeux.

— Maman, pourquoi tu pleures ? demanda la petite Sarah.

— C'est une bulle qui vient d'éclater dans mes yeux. Allez, en voilà d'autres !

On entendait une respiration forte derrière la caméra. Puis André Vassili posa l'objectif par terre.

— Ouais ! Papa ! crièrent les deux sœurs.

Et le film s'arrêta, laissant place à un écran noir.

Sarah se leva et marcha vers la fenêtre pour dissimuler ses larmes. Écartant les rideaux, elle contempla le domaine sur lequel flottait une nappe vaporeuse. Elle ne se souvenait pas d'avoir entendu son père dire « mes filles » et encore moins les encourager quand elles étaient enfants. Ce film était peut-être l'unique témoignage de tendresse à leur égard. La seule fois où il avait accepté de jouer avec elles et où le mot « famille » avait eu du sens. Sarah essuya les perles humides qui débordaient de ses paupières et se détourna de la fenêtre. Assise sur le parquet, le dos contre le montant du lit, elle prit le temps de se ressaisir et apprécia la délicatesse d'Adrian qui faisait mine d'être occupé à débrancher le rétroprojecteur.

Sarah s'efforça de comprendre pourquoi cette vidéo se trouvait dans cette maison. Se pouvait-il que la propriétaire des lieux soit la mère d'un enfant qu'elle aurait eu avec André Vassili ? Cette phrase du message vocal, « je ne te laisserai pas tranquille tant que tu ne leur auras pas dit la vérité », semblait plaider dans ce sens. L'os qui gisait dans la boîte était-il celui de cet enfant ? « Tu ne peux plus cacher ce que tu as fait », disait encore l'inconnue sur le répondeur. Pouvait-on aller jusqu'à imaginer qu'André Vassili était mêlé à la mort de cet enfant ? Sarah ne voulait pas y croire, et pourtant, cette piste expliquerait l'assassinat de son père, victime de la vengeance d'une femme dévastée.

Assaillie par trop de questions, Sarah perdait le fil de son raisonnement.

— J'ai besoin de me reposer. Prévenez-moi quand Erika sera là.

Son ton ne souffrait pas la contestation.

— Bien. Je vais faire le tour de la propriété.

L'officier Koll quitta la chambre, laissant Sarah seule avec ses doutes et ses peurs. Nerveusement fatiguée, elle parvint à contenir peu à peu le désordre de ses pensées et finit par s'assoupir.

Elle ignorait depuis combien de temps elle dormait, quand elle fut réveillée par le bruit d'une conversation provenant du jardin. Elle s'approcha de la fenêtre et aperçut la silhouette d'Adrian, son téléphone portable collé à l'oreille. Elle le rejoignit en silence. Il marqua une expression de surprise en la découvrant juste derrière lui.

— Je ne vous ai pas entendue arriver.

— Vous parliez avec qui ?

— Vous n'avez pas confiance en moi, c'est ça ?

Il venait de poser ses grands yeux bleus sur Sarah. Elle soutint son regard.

— Avec Stefen Karlstrom. Je lui faisais un point sur la situation.

— C'est vous qui l'avez appelé ?

— Non… c'est lui.

Sarah consulta sa montre. Il était près de minuit.

— À cette heure ?

Adrian lui tendit son téléphone pour lui montrer la provenance du dernier appel. Sarah reconnut le numéro de poste de Stefen.

Pourquoi ne l'appelait-il pas elle directement ? Commençait-il à prendre ses distances pour éviter d'être impliqué dans l'affaire du petit Matts Helland ? Ce n'était pourtant pas le genre de Stefen. Elle l'appela pour dissiper ses doutes.

— Oui, Sarah. Je sais ce que tu vas me dire. Pourquoi avoir appelé Adrian au lieu de te parler en direct.

— Exact.

— Parce que je voulais voir par moi-même s'il tenait le choc et ne devenait pas un boulet pour toi.

— De mon point de vue, il est plutôt bon.

— Tant mieux. Et si j'ai bien compris… attends un instant…

Sarah entendit les mots qui ne lui étaient pas adressés : « Quoi ? Vous êtes sûrs ? Putain, merde ! »

— Stefen ?

— Oui, Sarah. Je suis désolé, je dois y aller. Mais tiens-moi au courant dès que tu as du nouveau, d'accord ?

— Qu'est-ce qui se passe ? Qu'est-ce que vous faites tous encore au bureau à cette heure ?

— On vient de nous signaler une autre affaire de meurtre.

— Ah ! OK…

— Bon courage, Sarah.

C'était la première fois que Sarah entendait Stefen perdre ses moyens.

— Qu'avez-vous découvert en faisant le tour du domaine ? demanda-t-elle à Adrian pour ne pas se laisser distraire.

L'officier haussa les épaules.

— C'est vraiment très étendu. Il y a un abri de jardin derrière la maison, je l'ai fouillé, je n'ai trouvé que des outils. Je suis allé voir du côté de l'étang, mais rien à signaler non plus.

— L'étang, de toute façon, mon père ne s'en est sûrement jamais approché.

Sarah serra la clé dans sa poche. Que pouvait-elle bien ouvrir ? Par acquit de conscience, elle se dirigea vers le portail, qu'ils n'avaient pas trouvé fermé à clé à leur arrivée. Elle tenta d'enfoncer le panneton dans la serrure, mais celle-ci était bien trop large et la clé tourna dans le vide. C'est alors qu'elle entendit une voiture approcher. Les phares d'un véhicule de police émergèrent de la brume, et Sarah reconnut Erika Lerstad au volant.

Lorsque la technicienne scientifique se fut garée, Sarah et Adrian l'aidèrent à transporter son matériel dans la maison. Ils retirèrent les draps des tables pour installer les appareils avant de les brancher.

— Qu'est-ce que c'est que cet endroit ? s'étonna Erika en raccordant deux ordinateurs entre eux. C'est gigantesque.

La technicienne posa une Thermos de café sur une table, puis poursuivit son installation informatique.

— Il n'y aura pas seulement une analyse vocale à effectuer, précisa Sarah. Il faudra aussi examiner un os, que nous avons retrouvé dans un coffre. Et des relevés d'ADN doivent être réalisés dans les deux seules pièces occupées de la maison.

Erika acquiesça et s'empara de la tasse de café fumant qu'Adrian lui tendait.

— Je crois que j'ai bien fait d'en apporter une bonne dose, conclut-elle en sirotant le breuvage. Au fait, les analyses d'empreintes et d'ADN de Yéléna Russki n'ont pas été concluantes. Je n'ai trouvé aucune correspondance avec les relevés dans la maison de la victime.

Sarah ne s'était guère fait d'illusions. Mais ce résultat écartait au moins un suspect.

— Merci, répondit-elle. Pour commencer, j'aimerais que vous compariez trois échantillons sonores à la voix que l'on entend sur le répondeur.

— Je m'y mets tout de suite.

Elle démarra son ordinateur.

— Commencez avec celui de ma tante, dit Sarah en faisant signe à Adrian de remettre son téléphone à la policière. J'en aurai ensuite deux autres. Celui de ma mère et celui de ma sœur.

— Vous les avez déjà ?

— Non, nous allons les recueillir maintenant.

— Dans ce cas, faites-leur prononcer cette liste de phrases. Le spectre sonore de ces mots en particulier permet d'établir plus facilement des comparaisons.

Elle sortit d'une de ses valises une fiche plastifiée qu'elle tendit à Sarah.

— Officier Koll, appelez ma mère et ma sœur, ordonna Sarah en lui donnant son téléphone et la fiche.

— Il est minuit passé, vous êtes certaine que… ?

— Appelez-les.

— Assurez-vous qu'il n'y ait pas de bruit de fond ! précisa Erika alors qu'Adrian quittait la pièce.

Il leva la main en signe d'acquiescement et referma la porte derrière lui.

Erika brancha le téléphone de l'officier à l'ordinateur et transféra à ce dernier l'enregistrement de la conversation avec Ingrid Jorsen. En parallèle, elle lança son programme d'identification vocale. Le logo de Bat Vox apparut sur l'écran et Erika y téléchargea le fichier audio du dialogue entre Sarah et sa tante, qui se matérialisa immédiatement par une onde graphique. Équipée d'un casque, elle écouta l'extrait une première fois.

— Comment cela fonctionne-t-il ? demanda Sarah en appuyant ses deux mains sur la table.

— Je vais commencer par nettoyer le signal vocal en filtrant les passages inutiles et les bruits parasites. En l'occurrence, ici, j'efface votre voix, expliqua Erika en sélectionnant plusieurs morceaux du signal qu'elle fit disparaître.

Sarah apprécia le savoir-faire de la technicienne. Elle semblait plus à l'aise derrière un écran d'ordinateur que sur une scène de crime.

— Jusqu'à quel point ces analyses vocales sont-elles fiables ?

— Jamais à cent pour cent, mais ce nouveau logiciel est bien plus performant que les précédents. Il va nous fournir une analyse biométrique du locuteur : la forme de son larynx, du palais, du nez et même du crâne, qui est la caisse de résonance des sons que l'on produit. Il nous donnera aussi la fréquence de vibration des cordes vocales. Même si le suspect parle dans une langue différente de celle avec laquelle on la compare, on peut établir la correspondance.

Sarah suivait avec attention les manipulations d'Erika.

— Voilà, c'est propre, conclut la technicienne. Maintenant, je vais déterminer les fréquences caractéristiques de la voix de votre tante et isoler la donnée la plus personnelle, c'est-à-dire son timbre.

Une courbe apparut sur l'écran.

— Voici ce que l'on appelle la signature vocale de votre tante, expliqua Erika. Maintenant, on peut la comparer à celle que j'ai déjà établie pour la voix du message laissé sur le répondeur de votre père.

Sarah essuya ses paumes sur ses cuisses.

Erika manipula quelques données et cliqua sur l'onglet de comparaison des deux signatures vocales. Une barre de chargement se lança, annonçant une durée de calcul de trois minutes.

Sarah percevait la voix étouffée de l'officier Koll de l'autre côté de la porte, qui devait parler avec Camilla ou Jessica.

— Inspectrice, nous avons le résultat, intervint Erika.

Sarah tourna la tête vers l'écran. Le taux de correspondance affiché était de 9,82 %.

— Ce n'est pas elle, conclut Erika.

— Sûr ?

— Avec un pourcentage aussi faible, oui, je peux être catégorique.

Adrian entra alors dans la pièce en tendant le téléphone de Sarah à la policière scientifique. Sans un mot, elle brancha l'appareil et téléchargea les enregistrements de Jessica et Camilla.

— Adrian, restez avec Erika pour l'aider si elle a besoin de quoi que ce soit. Moi je vais essayer cette clé sur chaque porte.

Sarah ne pouvait attendre le verdict en présence de ses deux collègues. Elle reprit son téléphone et quitta le salon, priant pour que l'identification vocale n'établisse aucune correspondance avec les voix de sa mère ou de sa sœur.

25

Sarah traversa le hall pour accéder à l'aile ouest de la bâtisse. Une odeur de renfermé flottait dans l'air chargé de poussière.

Après avoir essayé sans succès la clé sur les portes du rez-de-chaussée, elle repassa par le hall pour monter à l'étage et reconnut derrière la porte du salon la voix de sa mère. Dans le haut-parleur de l'ordinateur, la même phrase tournait en boucle : « Les feuilles volent dans le vent. » Sarah continua d'explorer les pièces qu'elle n'avait pas encore visitées. Puis elle retourna dans la chambre à coucher et vida tous les placards, défit les draps du lit, renversa le matelas. Elle finit par s'écrouler, haletante. Jamais elle ne s'était sentie aussi déroutée qu'en cet instant. Son existence était à l'image de cette chambre qu'elle avait dévastée.

Épuisée, Sarah se laissa glisser contre l'armature du lit et écrasa ses tempes entre ses mains. Les mèches de ses cheveux courts lui effleurèrent la paume, lui rappelant ces lointains moments où Christopher faisait glisser ses doigts dans sa longue chevelure rousse. Comme pour chasser ses souvenirs, elle secoua la tête et aperçut alors à ses pieds le projecteur dissimulé sous un drap déchiré. Elle le rebrancha. Les images du film d'enfance tourné par son père se projetèrent de nouveau sur le mur.

— Sarah ! Jessica ! Vite avant qu'elles ne touchent le soleil ! C'est bien, mes filles !

— Papa, elles vont trop haut, vite, viens nous aider !

Un nœud de tristesse l'étrangla. Pourquoi son père n'avait-il pas été plus souvent comme il l'était sur ces images ? Complice, enthousiaste, vivant. Pourquoi cette éternelle distance et ce mutisme ?

Dehors, la nuit enveloppait le domaine et Sarah avait allumé une des lampes de chevet de la chambre. Elle frémit lorsqu'on frappa à la porte. Adrian entra.

— L'analyse vocale est sur le point de se terminer.

Sarah se leva d'un bond et fonça vers le rez-de-chaussée.

26

À peine la porte ouverte, Sarah interpella Erika :

— Alors ?

— J'ai procédé aux comparaisons des…

— Y a-t-il une correspondance ? la coupa Sarah.

— Il semble que non.

La technicienne afficha deux fenêtres sur l'écran de son ordinateur et enclencha le mode lecture. Les voix de sa mère et de l'inconnue se chevauchèrent syllabe par syllabe.

— En haut, la voix sur la messagerie du répondeur. En bas, celle de votre mère. Comme vous le voyez, et comme vous l'entendez peut-être aussi, les spectres vocaux ne correspondent pas. En tout cas pas à plus de 46 %.

— Et pour Jessica ?

— Les correspondances sont encore plus faibles.

Les deux empreintes vocales se dessinèrent sur l'écran et une correspondance de 32 % s'afficha dans la barre des résultats.

— Alors pourquoi ai-je l'impression que la voix du message m'est familière ?

Erika haussa les épaules.

— Comme vous le dites, c'est une impression. D'autant que la voix sur messagerie est déformée, ce qui fausse le jugement.

— Comment savez-vous qu'elle est déformée ?

— Les phonèmes ne sont pas toujours prononcés de la même façon. Par exemple, le son « man » se rapproche parfois du son « mun ». Ce qui n'arrive pas lorsque l'on parle avec sa vraie voix. Donc, oui, cela aurait pu être la voix de votre sœur ou de votre mère, qui aurait été en partie changée. Mais ce n'est pas le cas.

— Faites-moi réécouter le message.

Erika s'exécuta et la voix féminine au timbre inquiet sortit des haut-parleurs de l'ordinateur.

« C'est moi, Ivana. Je sais que tu n'as pas envie de m'entendre. Que tu préférerais que je me taise à jamais. Tu voudrais même m'empêcher d'exister. Tu sais que c'est impossible. Et tu sais aussi que je ne te laisserai pas tranquille tant que tu ne leur auras pas dit la vérité. Tu dois leur dire qui tu es vraiment ! Tu ne peux… »

— Stop ! lança soudainement Sarah, mue par une terrible intuition. Repassez le moment où elle s'exclame. Celui où elle dit : « Tu dois leur dire qui tu es vraiment ! »

Erika replaça le curseur et lut la séquence une nouvelle fois. Un frisson glacé tétanisa Sarah de la tête aux pieds. Elle tira maladroitement à elle une chaise pour s'y asseoir.

— Revenez au tout début de la séquence, balbutia-t-elle.

Erika leva un sourcil d'étonnement.

— Vous avez entendu quelque chose ?

— Prenez d'ici à ici, expliqua Sarah en indiquant deux points sur l'écran.

Erika sembla surprise.

— Jusqu'ici ? Mais on n'entend pas la voix de l'inconnue sur cette partie-là.

— Procédez à l'analyse de ce segment.

— Excusez-moi, mais ça n'a pas de sens.

Sarah ferma les yeux, en cherchant à calmer sa respiration. Mais comment conserver son sang-froid dans un moment pareil ?

— Faites-le ! ordonna-t-elle avant de joindre ses mains tremblantes devant sa bouche.

La technicienne scientifique entama le découpage du court échantillon vocal. L'exercice ne dura qu'une poignée de minutes, pendant lesquelles ni Adrian ni Erika n'osèrent parler.

— Terminé, annonça Erika.

— Établissez la probabilité de correspondance avec la voix du message.

La demande était incongrue. Erika se retourna pour consulter Adrian du regard, qui répondit d'un haussement d'épaules sceptique. Elle procéda à quelques manipulations et lança la comparaison automatique.

Une barre de chargement s'enclencha. Adrian s'approcha de l'écran. Sarah fixait la progression du calcul en se rongeant l'ongle du pouce.

32 %, 58 %, 72 %…

— Ce n'est pas possible, murmura la technicienne. 87 %.

Erika pianota à toute vitesse sur son clavier.

— Pourtant tous les réglages sont bons…

92 %.

— 100 %.

— Mon Dieu, murmura Sarah.

Sur la partie inférieure de l'écran de l'ordinateur se déroulait le découpage de la voix de l'inconnue. Et juste en dessous, la séquence que Sarah avait demandé à Erika d'analyser : le message d'accueil personnalisé de la boîte vocale. Celui où le père de Sarah disait : « Répondeur d'André Vassili. Laissez votre message. »

Le programme avait établi une correspondance exceptionnelle de 100 % entre les deux empreintes vocales.

— C'est im… possible, bégaya Erika.

Et pourtant, l'analyse était formelle. La voix de l'inconnue qui appelait sur le portable d'André Vassili n'était autre que celle d'André lui-même. Ivana et André Vassili n'étaient qu'une seule et même personne.

27

Sarah se tenait, abasourdie, devant la porte d'entrée du manoir.

— La technicienne a terminé la comparaison de l'ADN de votre père avec les échantillons d'ADN de peau et de cheveux retrouvés sur les robes, les draps et les brosses de la chambre d'en haut, dit Adrian en rejoignant Sarah. Les conclusions sont positives à cent pour cent. C'est bien André Vassili qui venait ici et… qui… prenait l'apparence d'une femme.

Sarah fixait l'orée obscure de la forêt cernant la propriété, l'esprit ballotté d'un bastingage à l'autre par une tempête de questions. Non seulement son père se travestissait, mais il changeait sa voix et s'appelait lui-même au téléphone dans un parfait dédoublement. Il ne jouait pas à être une autre personne, il était cette autre personne. Il était cette femme. André Vassili avait deux personnalités. C'était tout simplement incroyable. Depuis quand était-il dans cet état ? Y avait-il un lien entre sa pathologie et son assassinat ? Une de ses personnalités avait-elle tué un enfant et tentait-elle de cacher ce crime, tandis que l'autre essayait de le lui faire avouer ? Peut-être était-ce là le sens du message laissé sur le répondeur : « Et tu sais aussi que je ne te laisserai pas tranquille tant que tu ne leur auras pas dit la vérité. Tu dois leur dire qui tu es vraiment ! Tu ne peux plus cacher ce que tu as fait. Et ne cherche pas à détruire les preuves, je les ai cachées, là où tu n'oseras jamais aller les chercher. »

Non, il devait y avoir autre chose, se dit Sarah. La phalange était simplement rangée dans un coffre glissé sous un lit. En quoi était-ce une cachette inaccessible ? Un peu perdue, Sarah appela sa mère pour lui annoncer sa découverte en espérant obtenir des éclaircissements. Mais Camilla Vassili ne voulut pas croire les révélations de sa fille et écourta elle-même la conversation : elle allait devenir folle si elle continuait à entendre des choses pareilles.

— Il fait froid, constata Adrian en bâillant.

Sarah se rendit compte qu'à aucun moment son coéquipier ne s'était reposé.

— Vous n'allez pas tenir. Vous devriez dormir un peu.

L'officier se frotta les yeux et secoua la tête.

— Pour le moment, le café fait effet, je vous dirai quand je n'en pourrai plus. Quelle est la prochaine étape ? demanda Adrian.

Sarah entendit la question, mais mit plus de temps que d'ordinaire à traiter l'information.

— Inspectrice ? insista Adrian.

— Nous devons voir comment la découverte de la double personnalité de mon père peut nous mettre sur la piste de son assassin. C'est la seule option qu'il nous reste. Mais il nous faut de l'aide.

Elle appela Thobias.

Le portable sonna plusieurs fois dans le vide avant qu'elle n'entende enfin la voix ensommeillée du vieux légiste.

— Désolée de vous déranger à une heure pareille.

— Je vous ai dit que vous pouviez m'appeler n'importe quand. Dites-moi ce que je peux faire pour vous.

Elle lui résuma les derniers éléments de l'enquête et ajouta qu'elle avait besoin d'un expert en psychiatrie pour qu'il l'aide à comprendre le fonctionnement des personnes atteintes de dédoublement.

— Je connais un médecin qui pourrait vous éclairer.

— Pas quelqu'un qui travaille avec la police.

— Non, non, j'ai bien compris que vous n'étiez plus en odeur de sainteté dans nos services. Ne vous inquiétez pas, ce psy a fait une partie de ses études de médecine avec moi, je le connais très bien. On a l'habitude de se donner des coups de main. Je le préviens de votre appel et je vous envoie son numéro.

— J'ai besoin de lui le plus vite possible…

— Autrement dit, maintenant. Je vais voir ce que je peux faire.

— Merci.

Quinze minutes après qu'elle eut raccroché, Sarah recevait un message de Thobias. Gunther Svord attendait son appel. Il précisait qu'il avait Skype, si elle préférait.

Sarah rejoignit le salon où Erika raclait la phalange à l'aide d'une lime. Munie d'un masque et de gants, elle récoltait la poussière dans un récipient en plexiglas.

— J'ai besoin d'utiliser votre deuxième ordinateur avec la clé 4G, annonça Sarah à Erika.

— Allez-y, répondit la technicienne.

Sarah s'installa sur la chaise, lança Skype et contacta Gunther Svord.

Après trois sonneries, le visage d'un homme âgé apparut. Il était tout juste en train de chausser ses lunettes et d'ajuster sa chevelure hirsute. Il posa sur Sarah deux grands yeux fatigués.

— Bonjour, madame Geringën.

— Merci de vous être rendu disponible au milieu de la nuit.

— Une enquête de police justifie toutes les urgences, surtout lorsque c'est un vieil ami qui me demande de l'aide. Thobias m'a exposé votre problématique en quelques mots. Que voulez-vous savoir exactement sur le cas qui vous pose un problème ?

— Tout. J'ignore complètement les tenants et aboutissants du trouble dont semblait souffrir mon père.

— Bon, votre père était apparemment atteint de ce que l'on appelle un TDI : un trouble dissociatif de l'identité. Une personne atteinte de trouble dissociatif semble avoir plusieurs identités qui tour à tour prennent possession de l'individu. Je dis bien *semble*, parce que la communauté psychiatrique n'est pas unanime sur cette pathologie. Pour certains, elle existe vraiment, et d'ailleurs elle est inscrite au registre américain des maladies mentales depuis 1994. Pour d'autres, elle serait plutôt le résultat de séances d'hypnose ou de suggestions fortes de praticiens sur des patients faibles.

— Si mon père était effectivement atteint de cette dissociation, était-il conscient de ses multiples personnalités ?

— Cela dépend des patients. Lors des changements de personnalité, certains se réveillent avec la sensation d'avoir oublié un épisode de leur vie. La personne va se demander pourquoi tel objet est à telle place alors qu'elle l'avait mis ailleurs, pourquoi son haleine sent la vodka alors qu'elle déteste l'alcool. Mais il arrive aussi que les deux personnalités se connaissent, qu'elles partagent une mémoire commune. Dans ce cas, il n'y a pas d'amnésie et le sujet est conscient de sa maladie. Il peut même anticiper les moments où il va changer de personnalité et se cacher pour que personne ne s'en aperçoive.

— Justement, est-il possible que l'entourage ne voie pas qu'un membre de sa famille est atteint de ce trouble ?

Le psychiatre se frotta un œil derrière le verre de ses lunettes.

— Oui. Car le sujet va se renfermer sur lui-même et limiter ses contacts avec l'entourage. Il s'isole, parle peu, a l'air ailleurs et s'absente souvent. Les proches associent ce comportement à une forme d'intro-version ou de dépression et peuvent très bien ne se rendre compte de rien. Les personnalités secondaires se manifestent plus rarement et la personnalité hôte parvient parfois à les contenir pour retarder leur prise de contrôle, le temps de trouver un lieu où exister librement.

« Comme dans ce manoir isolé de tout », songea Sarah.

— Les personnes atteintes de trouble dissociatif vont-elles jusqu'à changer physiquement pour prendre l'apparence de leur double ?

— Leur corps ne change pas vraiment, mais il arrive qu'elles modifient leur coiffure, leurs vêtements et surtout leur voix.

Sarah frissonna à la seule évocation de la voix déformée de son père.

— À ce propos, je voudrais vous faire écouter un message que mon père s'est laissé à lui-même alors qu'il était… cette femme.

Au terme de l'extrait sonore où la voix grinçante du père avait résonné dans le salon, le psychiatre opina du chef.

— Ce propos me semble assez caractéristique des affrontements qui peuvent exister entre les différentes personnalités. Souvent, elles luttent l'une contre l'autre. Il y a d'un côté la volonté de dire une vérité, de révéler un secret, et de l'autre l'injonction de se taire. Avez-vous une petite idée de ce que votre père aurait pu essayer de vous dire ?

— Non, justement. C'est pour cela que j'ai besoin de connaître les causes de sa pathologie.

— Je ne peux parler pour votre père. Mais dans les cas référencés, il existe toujours un événement traumatique qui remonte à l'enfance. Un fait si violent et si stressant que l'esprit du jeune individu, incapable de comprendre ou d'expliquer sa souffrance, a été obligé de se scinder en plusieurs personnalités pour supporter le réel. Généralement, ce sont des abus sexuels répétés dans l'enfance qui sont à l'origine de cet éclatement du moi. Le sujet ne pouvant accepter les faits, il en vient à créer d'autres personnages qui vivent dans son corps et qui sont les victimes réelles de ces violences. Les *alter* sont en quelque sorte les manifestations de souvenirs refoulés. Certains iront jusqu'à devenir des formes démoniaques de leur personnalité.

Sarah repensa à la pierre d'améthyste trouvée dans la voiture et à ce que la guérisseuse de la forêt lui avait dit. Que son père cherchait désespérément à faire fuir le mal en lui, à chasser les démons.

— Vouliez-vous me demander autre chose ? intervint le psychiatre en écrasant un bâillement.

Sarah avait le sentiment d'être allée au bout des questions qu'elle pouvait poser.

— Je suis désolé de ne pouvoir vous être d'un plus grand secours, madame Geringën, s'excusa le psychiatre. Ces cas sont complexes parce qu'ils reposent souvent sur un passé caché, étouffé par le secret et la peur.

Sarah était abattue par la tournure que prenait son enquête. Elle aurait aimé que surgisse la question qui la sortirait de l'impasse, mais son esprit était sec.

— Merci de votre exceptionnelle disponibilité, monsieur Svord, finit-elle par lâcher d'une voix sombre.

Elle allait se déconnecter quand Adrian lui posa vivement la main sur l'épaule.

— Attendez !

Sarah suspendit son geste. Elle consulta l'officier Koll avec étonnement.

— J'ai une question... si vous permettez.

Sarah lui fit signe qu'il pouvait parler.

— Bonjour, docteur, commença-t-il. Je suis l'inspecteur Koll, je travaille avec madame Geringën.

— Je vous écoute..., répondit le psychiatre en massant son front.

— Vous avez dit tout à l'heure que les différentes personnalités pouvaient avoir des aptitudes et des préférences différentes.

— Oui.

Adrian reprit :

— Peut-on imaginer qu'une des personnalités ait la phobie de quelque chose, alors qu'une autre aimerait la cause de cette peur ?

— Oui, bien sûr. D'ailleurs, les personnalités fonctionnent souvent par opposition miroir. Ce que l'une hait, l'autre l'adore. Et il arrive que l'un des *alter* connaisse les goûts et les peurs de l'autre et en joue dans ses tentatives d'intimidation. Il ne faut jamais oublier que les différentes identités de l'individu sont en compétition les unes avec les autres. C'est la façon que l'esprit a trouvée pour se mentir à lui-même et survivre à son traumatisme.

— Bien, merci docteur. Au revoir. Et bonne nuit.

Le médecin se contenta d'un petit signe de main en guise de salut et coupa la connexion.

Sarah regarda Adrian avec insistance. Elle attendait une explication.

— Eh bien, commença le jeune officier. Depuis que nous sommes arrivés ici, il y a quelque chose qui me dérange. Par rapport à ce que vous m'avez dit de votre père.

Sarah fronça les sourcils, essayant de se remémorer ce qu'elle avait pu raconter.

— Quand je suis allé faire un tour du côté de l'étang, vous m'avez dit que votre père n'avait pas dû s'en approcher, c'est bien ça ? Or...

— ... si André Vassili avait peur de l'eau, Ivana ne la craignait pas, acheva Sarah. C'est donc forcément dans l'étang qu'elle a caché les preuves dont elle parle sur le message : « Et ne cherche pas à détruire les preuves, je les ai cachées, là où tu n'oseras jamais aller les chercher. »

C'était brillant. Comment n'y avait-elle pas pensé elle-même ? Sarah était ébahie par l'intuition d'Adrian. Stefen avait raison, il était prometteur.

Suivie par l'officier, elle dévala l'escalier, sortit du manoir, le contourna et fonça droit vers l'étang plongé dans une semi-obscurité embrumée.

28

Leurs chaussures et le bas de leurs vêtements trempés par la rosée nocturne qui avait envahi les hautes herbes du jardin en friche, Sarah et Adrian ralentirent la cadence aux abords de l'étang. Une clairière aquatique cernée par des arbres dont les branches surplombaient l'eau comme autant de doigts crispés au-dessus d'un trésor convoité. De jour, le miroitement des frondaisons aux couleurs fauves devait être hypnotique. Mais à cette heure tardive, le flamboiement automnal disparaissait sous l'épais brouillard débordant sur les rives.

Le visage piqué par d'infimes gouttelettes dont l'humidité s'infiltrait sous les manteaux, Sarah et Adrian fixaient un point au loin. Émergeant de la brume, la statue plantée au milieu de l'île les regardait.

— Là ! lança Adrian.

À quelques mètres d'eux, une barque reposait sur la berge. Ils soulevèrent la bâche qui la recouvrait et trouvèrent une paire de rames et une corde. Ils la poussèrent jusqu'à l'eau, s'assurèrent qu'elle flottait, et leurs pas hésitants firent grincer la coque lorsqu'ils s'y installèrent.

Sarah s'empara des rames, laissant à Adrian et son bras dans le plâtre le soin de l'orienter en direction de l'île. Elle plongea les avirons dans un prudent clapotis. Le canot glissa sur l'onde placide, fendant les feuilles mortes et soulevant des nappes de vapeur. Ils dépassèrent un tronc d'arbre mort aux allures de créature, tandis que seules les perles d'eau glissant au bout des rames troublaient le silence.

Une répugnante odeur de vase s'éleva bientôt, et Sarah dut à plusieurs reprises extraire les rames de la boue stagnant à seulement un demi-bras de profondeur. L'étang n'avait pas été curé depuis des années, la nature jadis disciplinée avait repris son lent cycle de décomposition.

— On approche de l'île, prévint Adrian.

Sarah se retourna et elle la vit, d'abord une ombre. Puis sa vision s'affina, révélant une terrasse en pierre, bordée de trois marches évasées qui plongeaient dans l'eau. Au centre de la plate-forme, un banc sculpté en arc de cercle rejoignait deux colonnes antiques. Derrière l'ensemble, juchée sur son piédestal, la statue de femme drapée dans son voile de pierre dominait le lieu.

Sarah attrapa un anneau en métal rouillé fixé à une pierre et y noua la corde attachée à la barque. Ils débarquèrent chacun leur tour. Sarah aida Adrian avec son bras en écharpe à ne pas perdre l'équilibre. Au contact de leurs mains, il n'osa pas regarder Sarah et se dégagea si rapidement qu'il manqua glisser sur les pierres mangées par la mousse.

— Merci, lâcha-t-il.

Sarah se demanda pourquoi Adrian réagissait ainsi. Mais elle était trop absorbée dans la contemplation du lieu pour chercher des explications. Cette terrasse avait dû être un havre pour admirer le domaine et le manoir que l'on apercevait au loin. Aujourd'hui, les herbes folles surgissaient des interstices entre les dalles et le lierre s'enroulait autour des colonnes comme un serpent étouffant sa proie.

Écartant les branches qui débordaient sur la terrasse, Sarah se fraya un passage jusqu'à la statue. Elle repoussa une dernière branche de chêne et un frisson de malaise la parcourut lorsqu'elle lui fit face. La femme de pierre désignait du doigt le manoir, mais son visage était masqué par un voile aveugle, qui gommait ses traits et la faisait ressembler à un cadavre.

Sarah préféra contourner la lugubre silhouette pour explorer l'île. Elle s'aperçut que les buissons derrière elle étaient couchés. Le sol avait ici été récemment foulé. Elle éclaira le semblant de piste et la suivit avec méfiance. À peine avait-elle fait dix pas que le faisceau de sa lampe torche révéla un morceau de ruban brodé accroché à des ronces. Elle s'arrêta un instant. Imaginer son père marcher sur cette île vêtu d'une robe la glaça.

La piste obliqua vers la gauche et Sarah sentit le sol se durcir sous ses pieds : des dalles affleuraient. Elle accéléra le pas jusqu'à arriver au sommet d'une volée de marches. Une excitation mêlée d'appréhension lui vrilla le ventre. En bas de l'escalier se dressait une porte en métal vert.

— Adrian ! appela-t-elle.

Elle sortit la clé de sa poche et, d'une main hésitante, l'inséra dans la large serrure. Le panneton s'emboîta à la perfection. Le cœur frappant contre sa poitrine, Sarah fit pivoter la clé et un déclic fendit le silence de la nuit.

29

Sarah pénétra dans un vestibule taillé à même la roche avec le sentiment de s'introduire dans un sanctuaire. De sa lampe, elle balaya l'espace au centre de la modeste cavité, une chaise et une table faisaient dos au visiteur. Elle entendit les pas d'Adrian qui dévalait les marches de l'escalier.

— Qu'est-ce que c'est que cet endroit ? murmura-t-il.

En s'enfonçant un peu plus dans la crypte, Sarah aperçut des objets posés sur la table. Elle s'approcha et découvrit deux boîtes carrées à chaque extrémité : l'une noire, l'autre blanche.

— Adrian, éclairez-moi, dit-elle en tendant sa lampe à l'officier.

Elle enfila sa paire de gants en latex et souleva délicatement le couvercle de la boîte blanche.

Plusieurs feuilles y étaient empilées. Sarah prit le paquet et en déplia une. Elle reconnut l'écriture de son père et lut en silence ce qui avait tout l'air d'être un extrait de journal intime.

Lundi 8 mars 1982
Sarah, Jessica, mes deux filles adorées. Si vous
saviez combien je vous aime. Si vous saviez
combien votre seule existence suffit à donner un
sens à ma vie. Mais combien je meurs chaque jour
de ne pas savoir vous prendre dans mes bras pour
vous le dire. J'ai cru que je serais un jour libéré
du cauchemar de ce que j'ai fait et que je pourrais
guérir. Mais c'est l'inverse qui arrive : Ivana est
de plus en plus incontrôlable. Si je ne maîtrise pas
mes émotions, elle en profite pour prendre posses-
sion de moi. La blessure se rouvre, et alors, elle se
réveille et je ne peux imaginer ce qu'il se passe-
rait si je vous exposais à sa vision. Alors pourquoi
ne pas m'enfuir ou en finir ? Parce que l'infini
bonheur de vous voir et de vous savoir en vie
demeure plus fort que la somme des souffrances
qui chaque seconde m'accablent. J'espère que je
tiendrai jusqu'au bout et que le secret mourra
avec moi pour ne jamais vous hanter. D'ailleurs,
ne devrais-je pas brûler tous ces écrits ? Ils me
font tant de bien quand je les couche sur le papier.
Mais j'ai si peur que vous les trouviez.

Bouleversée, Sarah tira la chaise et s'assit. Là était donc la raison du mutisme de son père et de la distance qu'il mettait entre lui et sa famille. Loin d'être insensible ou de se désintéresser de ses filles, il luttait à chaque instant pour les protéger de lui-même. Pour leur épargner la vue de son traumatisme et de sa double personnalité qui aurait pu déclencher chez Sarah et sa sœur un choc émotionnel. Toutes ces années, il avait lutté contre sa maladie mentale en secret et en silence. Et alors que Sarah avait toujours pensé que sa sœur et elle n'étaient rien pour lui, leur père les aimait plus que tout au monde. Qu'avait-il fait de si grave pour qu'il soit à ce point tourmenté ? L'os trouvé dans le coffret en bois était-il une macabre trace de ce qu'il aurait pu commettre ?

— Vous avez trouvé quelque chose ? demanda l'officier Koll.

Comme si le monde autour avait cessé d'exister, Sarah ne lui répondit pas et continua à lire les autres feuillets, de plus en plus troublée par la réelle personnalité de son père. Un homme sensible, aimant, vivant, bien loin de l'image d'indifférence et de froideur qu'il leur avait présentée toute sa vie. Dans ces pages de confidences, André évoquait tous ces moments où il avait vécu un événement familial avec une profonde intensité, sans rien en montrer à ses proches. Sa joie et sa fierté lorsque Sarah avait obtenu son diplôme d'inspectrice. Ou son bonheur à la naissance de Moïra, sa première petite-fille. Il parlait même du jour où sa femme l'avait frappé, en avouant combien il était désolé de lui avoir infligé une telle vie.

Le dernier message datait du 5 septembre 2015.

Sarah. C'est à toi que je ressens le besoin d'écrire, parce que je sais que ta sœur Jessica possède une sérénité que malheureusement tu n'as pas. Tu es de loin la plus fragile, la plus fébrile et la plus tourmentée. Alors pour t'aider, depuis longtemps, j'ai envie de te dire des choses qui comptent beaucoup pour moi. Mais je ne parviens pas à trou-

ver la force de te parler. L'écrire me donnera
en quelque sorte l'impression de te l'avoir dit.
Je veux te parler de Timshel. Ce mot de la Bible se
traduit par « tu peux ». C'est un mot à la fois gri-
sant et terrifiant parce qu'il dit une chose fonda-
mentale sur l'homme : contrairement aux animaux
qui fonctionnent à l'instinct, l'homme est libre
de choisir ses actions. Il est libre de faire le bien
ou le mal. Il peut contrôler ses instincts, il peut
influencer sa nature. Or faire le bien demande un
effort. Et c'est lorsque l'homme fait cet effort qu'il
devient pleinement humain. Un effort d'autant
plus important que la vie nous tente sans cesse
pour nous pousser à choisir la facilité du mal.
Et toi, malgré tes doutes, tes angoisses, tes peurs,
tu as été grande et tu as toujours choisi le bien.
Je voudrais que, quoi qu'il t'arrive, tu n'oublies
jamais que tu as eu cette force. Si un jour tu perds
confiance en toi, si tu ne t'estimes plus, souviens-
toi de ce mot : Timshel, « tu peux ».

Les sept lettres tremblaient sous le regard embué
de Sarah.

— Il n'y a rien d'autre que cette table et ces deux
boîtes.

La voix d'Adrian fit voler en éclats la bulle d'émotion qui entourait Sarah. Elle redressa la tête et revint
à la réalité.

— Ça va ? demanda Adrian. Vous avez l'air perturbée.

Pour éviter d'avoir à répondre, Sarah fit glisser
jusqu'à elle la boîte noire encore fermée.

Elle souleva le couvercle.

Il n'y avait qu'une seule feuille, jaunie et craquelée.

Elle déplia le papier avec d'infinies précautions. Le texte manuscrit était en caractères cyrilliques. Sarah était incapable de le déchiffrer. À part peut-être la ligne qui précédait le corps du texte et qui ressemblait à une date : 14 suivi d'un mot qu'elle ne comprenait pas et du nombre 1933.

À la lecture de l'année, Sarah frissonna de tout son corps. 1933, la période de l'entre-deux-guerres qui semblait être au cœur des recherches de son père, comme le prouvaient les ouvrages de sa bibliothèque. Que s'était-il passé dans sa vie cette année-là ?

Sarah s'empara des deux boîtes, inspecta une dernière fois la grotte et dit à Adrian qu'ils devaient regagner le manoir au plus vite. La clé de l'enquête se dissimulait dans les lignes de cette lettre. Sarah en était convaincue.

30

Engoncée dans sa parka, le front plissé, Erika Lerstad étudiait l'écran de son ordinateur quand Sarah et Adrian entrèrent dans le salon du manoir.

— Toujours pas de service de traduction au commissariat central ? demanda Sarah.

— Non, répondit Erika, l'air navré.

La technicienne était sur le point d'ajouter quelque chose, mais Sarah avait déjà composé le numéro de Stefen.

— Sarah ?

— Qui dans tes équipes pourrait traduire un texte en caractères cyrilliques ?

— Quelle langue précisément ?

— Justement, je ne sais pas. Je prends le document en photo et te l'envoie.

— Très bien, je vais voir ce que je peux faire.

— Je compte sur toi ! Merci.

Après avoir envoyé la photo à Stefen, Sarah tourna son regard vers Erika, qui voulait visiblement lui parler.

— Qu'est-ce qu'il se passe ?

— J'ai effectué un séquençage de l'ADN prélevé sur la phalange. Il s'agit de celui d'un enfant. Ou plutôt d'une enfant. Une petite fille, de moins de dix ans. Et il y a autre chose, ajouta Erika.

Sarah retint son souffle.

— L'analyse ADN de l'os montre clairement que cette petite fille faisait partie de votre famille. Du côté de votre père.

À la sueur succéda un début de nausée. Sarah ferma les yeux pour reprendre le contrôle de son corps. Tous les scénarios les plus épouvantables étaient envisageables.

— Vous avez pu estimer la date de la mort de cette petite fille ?

— C'est là que cela devient surprenant. Cette phalange est celle d'une enfant morte avant l'âge de dix ans, mais il y a plus de quatre-vingts ans.

Sarah ne s'attendait pas à cette réponse. Elle effectua un rapide calcul dans sa tête. À cette époque, son père n'était lui-même qu'un enfant.

— Compte tenu du degré de proximité entre l'ADN de votre père et celui de la petite fille, je peux conclure de façon quasi formelle qu'il s'agissait d'une sœur de votre père.

Abasourdie, Sarah fixait le néant. Chaque étape de cette enquête était plus déroutante et bouleversante que la précédente, et ajoutait des questions au lieu d'apporter des réponses. Elle sentit les regards embarrassés d'Erika et Adrian.

— Peut-on connaître les causes du décès de cette enfant ? finit-elle par demander.

— Avec si peu d'éléments, ce sera difficile. Il me faudra quoi qu'il en soit bien plus de temps et de matériel, s'excusa la technicienne.

Sarah se força à regarder en face le scénario le plus probable : alors qu'il n'était encore qu'un enfant, son père avait été responsable de la mort de sa sœur. Traumatisé par son geste, il avait développé un trouble dissociatif de l'identité pour supporter sa culpabilité. Mais alors, qui l'avait tué la nuit dernière ? Un membre de la famille de son père dont Sarah ignorait l'existence ? C'était une hypothèse.

La sonnerie du téléphone dans sa poche mit fin à ses réflexions. Elle décrocha.

— Bonsoir Sarah, c'est Thobias. J'ai les résultats des analyses sur les causes du choc anaphylactique de votre père.

— Je vous écoute.

— Bon, eh bien, le problème c'est que le bilan allergologique classique ne donne strictement rien.

— Ce qui veut dire ?

— Que, si je me fiais à ce résultat, votre père ne souffrait d'aucune allergie et que la conclusion de mon autopsie est fausse. Or, je suis certain de mon diagnostic quant à la cause du décès.

— Et donc ?

— La seule autre explication possible est que votre père n'était pas allergique à un produit connu. Il a dû développer une forme d'hyperréaction à une substance rare. C'est pour cela que je suis en train de procéder à une recherche de dysfonctionnement génétique. Certains allèles des gènes HLA, ceux qui régulent les leucocytes, peuvent être impliqués dans le développement de réactions d'hypersensibilité, on a donc une petite chance de mieux cerner le produit si je parviens à identifier les allèles responsables.

— Combien de temps cela va prendre ? s'inquiéta Sarah.

— J'ai fait appel à mes collaborateurs habituels du département d'exploration génétique, donc environ une semaine pour les résultats complets.

Sarah demeura silencieuse.

— Je ne peux pas faire mieux. L'allergie de votre père est vraiment rare. Très rare.

— Merci, Thobias.

Sarah raccrocha et un message apparut sur son téléphone.

> Sarah, voici la traduction du document en
> cyrillique. C'est du russe. Ce texte semble
> faire partie d'un journal intime. Tiens-moi
> au courant de la suite de ton enquête.
>
> Stefen

Impatiente, Sarah fit défiler la suite du texte et lut attentivement.

> Tomsk, le 14 mai 1933
> Nous embarquons sur une péniche de
> marchandises depuis Tomsk. On nous a
> dit qu'on allait remonter l'Ob en direction
> du nord vers un « village spécial » situé sur
> une île. Il paraît que le voyage va durer
> cinq ou six jours… Où nous emmène-
> t-on ? Je sais qu'ils ne nous disent pas
> toute la vérité. J'ai peur. Les hommes vont

> être séparés des femmes et des enfants
> pour le trajet. Andreï et Dunya ont faim.
> Ils pleurent dans ma robe sans cesse...

Sarah releva la tête, bouleversée. Andreï et Dunya. Les prénoms russes de son père et certainement de sa petite sœur. Ce texte avait été écrit par leur mère alors qu'ils étaient déportés vers une destination inconnue.

Sarah acheva la lecture des deux dernières lignes de la lettre.

> Je ne peux pas les nourrir. Mes propres
> enfants. On ne nous donne presque rien
> à manger. Que voulez-vous que l'on fasse
> avec seulement un peu de farine.

À la lecture du dernier mot, Sarah trembla. L'image du cadavre blanchi de son père éclata dans son crâne.

C'est donc là-bas, en Russie, que toute cette histoire avait commencé. C'était au cours de ce voyage et probablement dans cet étrange village que s'étaient nouées les racines de l'assassinat de son père. À défaut d'autre piste, ce n'est qu'en allant sur place que Sarah pouvait espérer élucider le mystère.

Muette face à Adrian qui avait l'air d'attendre un compte rendu de ce qu'elle avait lu, Sarah lança une recherche sur Internet avec les mots clés « URSS », « famine » et « 1933 ». Immédiatement apparurent plusieurs sites détaillant l'ampleur de la tragédie qui avait frappé le pays à cette époque. De 1931 à 1933, la famine avait fait entre six et huit millions de victimes dans le pays. Notamment à cause des déportations de populations destinées à repeupler les zones inhabitées de Sibérie. Et la ville de Tomsk, ancienne capitale de la Sibérie occidentale, avait vu passer plusieurs millions de ces déportés vers les confins glacés du pays.

Restait à déterminer quel était ce village spécial vers lequel son père et sa famille avaient été déportés. Le texte évoquait la remontée de l'Ob vers le nord. Rien de plus. Sarah suivit le tracé du fleuve long de neuf cents kilomètres et nota l'existence de plusieurs villages épars. Duquel d'entre eux s'agissait-il ? Il n'y avait qu'une seule façon de le savoir : remonter l'Ob en bateau comme son père l'avait fait, en espérant retrouver les traces de ce lieu où tout avait commencé.

Sarah devait prendre un avion avant qu'on lui interdise de quitter le territoire norvégien. Elle se connecta sur-le-champ à un site de réservation et repéra un vol avec deux escales qui décollait d'Oslo à 7 h 30 le lendemain matin.

— Vous comptez partir là-bas ? se renseigna Adrian.

— Oui, et le plus vite possible. Il faut juste que je trouve un interprète.

— Je viens avec vous.

— C'est très gentil, mais je crois que vous avez pris assez de risques comme ça.

— C'est ce que vous feriez à ma place, non ? Ou vous laisseriez tomber la première enquête de votre carrière pour retourner au commissariat ?

Sarah savait qu'elle aurait tout fait pour partir pour la Russie.

— Oui, je pourrais retourner à Oslo, couvrir mes arrières, argumenta Adrian. Mais je ne veux pas être un petit inspecteur de quartier. Je veux qu'un jour on me confie les plus grosses affaires. Et on ne les donne qu'à ceux qui ont fait preuve d'audace, de ténacité et de courage.

À bien y réfléchir, il n'était pas impossible qu'elle ait besoin de lui en Russie. D'autant que son plan d'action était encore un peu flou.

— OK. C'est vous qui voyez, lui dit-elle. Mais demandez quand même l'accord de Stefen.

— D'abord l'interprète, répondit-il.

Adrian pianota sur l'écran de son téléphone.

Ils trouvèrent rapidement une solution. Tomsk possédait une faculté de langues étrangères avec plusieurs étudiants interprètes anglais-russe.

Sarah consulta sa montre. Il était cinq heures de plus à Tomsk, donc trop tard pour joindre qui que ce soit au téléphone.

Adrian envoya un mail à la directrice de la chaire de linguistique en expliquant qu'il cherchait un interprète de toute urgence dans le cadre d'une enquête criminelle. Il lui donna son numéro de téléphone ainsi que l'heure d'arrivée de leur vol à Tomsk en espérant que son message serait lu rapidement.

— Erika, nous allons devoir vous laisser, annonça Sarah. Prévenez-moi si vous trouvez quoi que ce soit.

— Où allez-vous ?

— Ce sera plus facile de ne pas savoir que de mentir si on vous interroge, répliqua Sarah.

Puis elle se tourna vers Adrian.

— Vous êtes conscient que vous allez vous mettre toute la police à dos et peut-être même être soupçonné de complicité pour les crimes dont on va m'accuser ?

Sarah surprit le coup d'œil inquiet qu'Erika jeta à Koll. Mais ce dernier gardait son regard bleu grand ouvert et décidé.

Elle réserva deux sièges sur le vol au départ d'Oslo.

— Nous dormirons dans l'avion, déclara Sarah.

Tous deux regagnèrent le véhicule de police, direction l'aéroport.

31

Christopher coupa le moteur et laissa échapper un soupir de soulagement. Il avait conduit plus de sept heures avec un seul arrêt. En massant sa nuque raide, il sortit de la voiture. Les effluves marins lui emplirent les poumons et le vent de la côte lui fouetta le visage. Au loin on entendait le ressac de la mer contre les falaises et, tout autour de lui, la lune éclairait de vastes pâturages sans trace de civilisation. Si ce n'est cette bâtisse isolée, dont les fenêtres laissaient filtrer de chaudes lumières. Il s'approcha du portail et remarqua alors tous les points scintillant dans l'obscurité. Indifférents au froid, des moutons à long poil le regardaient, le reflet jaune de leurs yeux brillant dans la nuit.

Mal à l'aise, Christopher vit un interphone et sonna.

— Oui ? dit une voix rauque et masculine.

— Bonsoir. Excusez-moi de vous déranger. Je m'appelle Christopher Clarence, je viens d'Oslo pour vous rencontrer. Je suis le compagnon… enfin, je connais très bien Sarah Geringën et je voulais justement savoir si ce nom vous disait quelque chose.

Silence à l'autre bout de l'interphone.

— Je crois que j'en ai entendu parler aux infos. Pourquoi ?

— Parce qu'il me semble qu'elle est venue ici il y a quelques années. Vous l'aviez peut-être vue avec un enfant. Vous savez, le petit Matts Helland.

— On n'a rien à voir avec cette affaire.

— Peut-être que si je vous montrais une photo de Sarah, vous vous souviendriez de quelque chose ?

— Laissez-nous tranquilles ou j'appelle la police.

— Il y avait des poils de mouton de l'espèce Lincoln Longwool sous les ongles du petit Matts et Sarah a été photographiée au péage de Stavanger, insista Christopher. Je me dis qu'elle est peut-être passée chez vous avec l'enfant et que vous avez peut-être vu quelque chose qui pourrait m'aider à prouver qu'elle n'a pas tué ce petit garçon.

— Allez-vous-en maintenant ! J'appelle la police.

Christopher secoua la tête de dépit.

— Ce ne sera pas la peine, je m'en vais.

Abattu, il rebroussa chemin jusqu'à sa voiture en relevant le col de sa parka. Cet homme ne savait-il rien ou ne voulait-il pas parler ? Christopher décida qu'il tenterait de nouveau sa chance le lendemain matin, quitte à se créer des ennuis. Il réserva dans un hôtel du coin, appela la baby-sitter pour souhaiter une bonne nuit à Simon. Puis il mit le contact.

— Hey !

Christopher s'écarta de sa vitre en sursautant. Une femme le regardait. Méfiant, il baissa la vitre de quelques centimètres.

— J'ai entendu votre conversation avec mon mari, commença-t-elle. Je connais Sarah.

— Pourquoi votre mari ne m'a-t-il rien dit ?

— C'est une histoire compliquée. Si vous voulez entrer, je vous raconterai.

Elle tenait une lampe de poche à la main, mais Christopher n'arrivait pas à voir clairement son visage. Il n'était pas rassuré.

— Beaucoup de gens savent que je suis ici, chez vous, ce soir...

Elle ne parut pas comprendre pourquoi il avait dit cela.

— Ah... vous pensez que... Oh ! mon Dieu, jamais de la vie. Si vous préférez, revenez demain quand il fera jour...

Christopher coupa le contact et descendit. La femme devait avoir une trentaine d'années. Emmitouflée dans une polaire, les cheveux lâchés, elle avait le regard triste.

— Votre mari est d'accord ?

— Mon mari souffre comme moi. Il est temps que nous parlions. Venez.

32

Sarah et Adrian entrèrent dans l'aéroport à l'aurore. Les boutiques venaient tout juste d'ouvrir et Sarah s'acheta des vêtements et se changea dans les toilettes. Elle rangea ses affaires dans un sac à dos neuf, puis retrouva Adrian qui l'attendait assis sur l'un des inconfortables sièges en métal percé devant la porte d'embarquement.

En passant devant le point de vente de presse installé dans le hall, Sarah regarda distraitement les unes des journaux et s'arrêta net en découvrant que toutes mentionnaient « l'affaire Geringën ». Les tabloïds rivalisaient de provocation pour attirer le chaland : « Geringën, après le pape, tueuse d'enfant ? », « Geringën, la descente aux enfers », « Après le scandale du Vatican, l'inspectrice star salit de nouveau la police norvégienne »… Sarah feuilleta quelques articles. Tous reprenaient le papier paru la veille en y ajoutant des insinuations et des conjectures dénuées de tout fondement.

Son procès public était joué d'avance. L'opinion médiatique se liguait contre elle, comme si les journalistes prenaient plaisir à brûler l'idole qu'ils avaient auparavant encensée. Sarah baissa la tête pour éviter les regards des autres voyageurs et s'assit à côté d'Adrian.

— On devrait embarquer d'ici à une quinzaine de minutes, lui annonça-t-il. En attendant, je vous ai pris une salade, une pomme et une bouteille d'eau, comme vous me l'avez demandé, dit-il en lui tendant un sac en papier.

Sarah se contenta d'un laconique merci et décacheta l'opercule en plastique de sa salade.

— Vous avez vu la presse, c'est ça ? lâcha l'officier Koll en croquant dans son sandwich.

Sarah n'avait avalé que deux fourchettes et reposa la salade à côté d'elle.

Une centaine de personnes patientaient dans le hall, la plupart absorbées par leur téléphone ou consultant d'un air distrait l'écran de télévision qui diffusait une chaîne d'information en continu. Certains la regardaient avec insistance avant de pianoter sur leur smartphone, probablement pour vérifier qu'ils avaient bien en face d'eux l'inspectrice dont parlaient tous les journaux.

— Si cela vous intéresse, je crois que j'ai trouvé le sens de la statuette au sommet du portail d'entrée du domaine, dit soudain Adrian.

Sarah chercha à se souvenir à quoi Adrian faisait allusion. Il ne lui fallut pas longtemps pour se rappeler la statue de l'étrange personnage à la longue barbe qui tenait un livre ouvert au-dessus des visiteurs pénétrant dans le manoir de son père.

— J'ai fait le lien lorsque l'histoire de votre père nous a amenés sur la piste de la Russie. Ce personnage fait partie de la mythologie du pays. Il s'appelle Rod.

— Et que symbolise-t-il ? voulut savoir Sarah en s'essuyant le coin de la bouche avec sa serviette en papier.

— Eh bien, justement, je me demande si votre père ne l'a pas choisi par rapport à sa... pathologie.

— Allez-y.

— Rod est le dieu primordial. On dit qu'il est le créateur de l'univers. Mais en fait, il n'en est que le cocréateur avec son épouse Rojanice. En gros, sous le visage masculin se cache une femme...

— Vous êtes croyant, Adrian ?

Il se crispa et répondit en regardant par terre, comme s'il récitait une prière apprise dans la douleur.

— Dieu ne sauve personne et ne venge personne. L'homme peut se débrouiller pour accomplir les deux. Je crois en la volonté et la justice humaines. Rien d'autre.

Sarah allait lui demander comment il en était arrivé à cette conviction qu'elle partageait quand elle perçut de l'agitation autour d'elle. Les voyageurs en attente s'étaient mis à chuchoter et regardaient tous la télévision. Lorsque Sarah se tourna vers l'écran, elle en eut la respiration coupée.

Le bandeau de titre indiquait « Affaire Geringën : nouvelles révélations », et une image venait d'apparaître : le visage de Christopher.

— Christopher Clarence annonce la tenue d'une conférence de presse exceptionnelle que nous allons vous retransmettre en direct, annonça un présentateur.

Il semblerait qu'il ait des éléments nouveaux à révéler concernant les accusations d'infanticide dont l'inspectrice Sarah Geringën pourrait être l'objet. M. Clarence devrait s'exprimer sous quelques secondes. Il a décidé de parler en français afin d'être le plus précis possible. Un interprète traduira ses propos en direct. Monsieur Clarence, nous vous écoutons.

Sarah sentit le sang quitter ses membres.

— Afin que mes paroles ne soient pas abîmées par le voile de la suspicion, je rappelle à tous qu'avant d'être un… proche de l'inspectrice Sarah Geringën, je suis journaliste d'investigation et je place la vérité au-dessus de tout.

Sarah avait reconnu la brève torsion des lèvres de Christopher lorsqu'il était ému.

Sur l'écran apparut la photo de l'inspectrice et très vite, des murmures se répandirent dans la salle d'attente alors que les voyageurs se retournaient les uns après les autres pour dévisager Sarah.

— L'article paru hier relatant les liens entre Sarah Geringën et la disparition de cet enfant nous a tous bouleversés, reprit Christopher. Et je vois qu'avant même d'avoir vérifié les faits, la presse s'est emparée de l'affaire pour détruire l'image de l'inspectrice. Face à un tel flot de haine et de mensonges, j'ai décidé de dire ce que je sais, sans attendre que la justice se saisisse de l'enquête.

Dans le hall de l'aéroport, même les voix des enfants s'estompèrent. Toute la salle était attentive.

— Afin d'être pleinement transparent à votre égard, reprit Christopher, j'ai eu connaissance de cette histoire avant qu'elle ne paraisse dans la presse et c'est la raison pour laquelle je peux déjà prendre la parole. J'ai eu le temps d'enquêter. Et ce que je peux vous dire, c'est que tous les faits écrits dans l'article de Tomas Holm sont...

Christopher baissa les yeux et reprit son souffle.

— ... tous les faits relatés dans cet article sont vrais.

Le silence de la salle d'attente se mua en brouhaha et on entendit des exclamations de voix aux accents d'insultes. Sarah arrivait à peine à respirer.

— En revanche, les suspicions d'homicide infantile sont infondées. Voici ce qu'il s'est vraiment passé.

Sarah sentit qu'on lui touchait l'épaule et sursauta.

— Nous devrions nous approcher des portillons pour être dans les premiers, suggéra Adrian en balayant la salle d'attente d'un regard méfiant.

Sarah voulut se lever, mais ses jambes ne la portaient pas. Adrian l'aida. Une hôtesse annonçait au haut-parleur l'embarquement immédiat de leur vol. Les voyageurs, d'ordinaire pressés de monter dans l'appareil, rassemblaient maladroitement leurs bagages sans décoller leur attention de la télévision.

— Le 14 février 2013, l'inspectrice Sarah Geringën est appelée pour un homicide dans le quartier de Grønland à Oslo. Une femme vient d'être tuée à coups de poing par son beau-frère qui l'accusait de ne pas être une femme digne de ce nom. Elle était mère d'un petit garçon. Sur place se trouvent le coupable, qui menace de s'en prendre à la police, ainsi que le mari de la victime et leur enfant. Très vite, la police et l'inspectrice comprennent que la mère se droguait et que, d'après une rapide enquête de voisinage et sans qu'ils en aient encore de preuves formelles, le père forçait sa femme à faire le trottoir pour gagner de l'argent.

Sarah tremblait désormais.

— Légalement, le père de l'enfant aurait dû conserver la garde du petit garçon, car aucune charge ne pouvait être retenue contre lui. Or, ce jour-là, l'inspectrice Sarah Geringën en a eu assez de sacrifier l'enfance au nom de la cécité judiciaire. Elle a tout de suite compris à quel avenir sombre était promise cette vie innocente. Elle a vu la misère, la violence, la délinquance qui menaçaient ce petit garçon terrorisé. Elle a bouclé l'enquête, elle a fait son rapport et elle est rentrée chez elle. Une semaine plus tard, elle est revenue de nuit et a payé le père du petit Matts pour qu'il lui donne son enfant. Quand elle est entrée dans l'appartement, le petit Matts Helland était seul devant la télé. Il regardait un film violent en serrant une peluche contre lui.

Même l'hôtesse de l'air au sol écoutait le récit de Christopher et en avait oublié de rappeler les passagers à embarquer. Christopher marqua une pause dans son récit et redressa la tête.

— Elle a emporté quelques affaires du petit Matts, a installé l'enfant à l'arrière de sa voiture et a roulé en direction de Stavanger. C'est sur cette autoroute qu'elle a été prise en photo au péage. Elle a ensuite retrouvé un couple avec qui elle s'était liée d'amitié à la clinique, à l'époque où elle essayait désespérément d'avoir un enfant. Des gens bien, très bien même, gérant un élevage de moutons dans le comté de Stavanger. Elle leur a confié le petit garçon. L'inspectrice Sarah Geringën s'est chargée de falsifier des documents administratifs, ce qui leur a permis de procéder à une adoption.

Elle a ensuite vécu pendant un mois à Stavanger pour s'assurer que tout se passait bien entre l'enfant et sa famille d'adoption. Le petit Matts n'avait jamais été aussi heureux. Dans ce nouvel environnement, aimant et stimulant, les traumatismes dont il avait été victime finiraient par s'effacer.

« Sauf que, quelques jours après le départ de Sarah, le père du petit Matts est tombé sur un reportage évoquant les élevages de mouton à Stavanger, et il a reconnu son fils en arrière-plan, jouant avec les animaux. Fou de jalousie, il a voulu le récupérer. Il est parvenu à le kidnapper. Mais lorsqu'il s'est arrêté sur la route pour aller aux toilettes, le petit garçon s'est enfui. Et c'est là que l'accident est arrivé. Il a glissé sur une pente, l'a dévalée et est tombé dans le fjord. Le père n'a même pas appelé les secours, de peur d'avoir des ennuis avec la police. Voilà la vraie histoire de la mort tragique du petit Matts.

Christopher semblait avoir beaucoup de mal à poursuivre.

— Vous… vous… demandez peut-être pourquoi l'inspectrice ne s'est pas dénoncée après cette tragédie ? Eh bien, parce que ce n'était pas elle qu'elle cherchait à protéger, mais la famille qui avait accueilli Matts. Une famille qui a aujourd'hui décidé de dire la vérité. Vous vous demandez peut-être aussi pourquoi Sarah Geringën n'a pas essayé de prouver l'incapacité du père plutôt que de lui acheter l'enfant… Je comprends. Mais l'inspectrice Sarah Geringën était mieux placée que quiconque pour connaître le nombre indécent d'enfants à la vie sacrifiée parce que les services sociaux sont débordés par ce type d'affaires. Elle connaissait la longueur des procédures et leur faible taux d'aboutissement, d'autant plus que certains politiques n'ont de cesse de trouver des excuses aux mauvais parents. Alors c'est avec son cœur qu'elle a agi cette nuit-là. Oui, elle a commis une infraction grave, mais elle l'a fait dans l'espoir de sauver ce petit garçon… La tragédie de sa mort est indicible, et même si Sarah Geringën n'en est pas responsable, sachez qu'elle en porte toute la culpabilité.

À l'écran, Christopher fixa la caméra. Son regard était voilé par l'émotion.

— Sarah est une femme qui a tout sacrifié pour notre sécurité à tous. Je ne vous demande pas de lui pardonner. Mais à tout le moins de la comprendre. Maintenant que vous connaissez la vérité, je vous laisse juge de ses actes. Et… Sarah…

L'image de Christopher demeura encore quelques instants à l'écran. Alors qu'il s'adressait à des millions de personnes en direct, il avait prononcé ces deux derniers mots comme s'il tenait la femme de sa vie dans ses bras et lui murmurait à l'oreille. Sa main effleura le haut de son torse, et Sarah frissonna. C'était là qu'elle posait sa tête lorsqu'elle avait besoin de réconfort.

Puis son image s'effaça et le journaliste reprit l'antenne.

— Il faut y aller, dit Adrian en secouant légèrement le bras de Sarah.

Elle tendit son passeport à l'hôtesse de l'air.

Cette dernière semblait hésiter entre appeler la sécurité et serrer Sarah dans ses bras pour lui dire qu'elle aurait fait la même chose à sa place. Adrian Koll montra son badge de police.

— L'inspectrice doit se rendre en Sibérie pour enquêter sur un assassinat. Vous pouvez être certaine qu'elle ne se dérobera pas à son devoir et reviendra ici dès que son enquête sera terminée.

L'hôtesse de l'air consulta les autres passagers du regard. Tous s'étaient rassemblés derrière Sarah et l'officier Koll. Les avis n'étaient pas unanimes et l'on pouvait entendre ici et là qu'elle avait été égoïste, prétentieuse, irresponsable. Mais la plupart des voyageurs ne disaient rien et semblaient essayer d'imaginer comment ils auraient réagi dans la même situation.

Finalement, l'hôtesse de l'air scanna le billet et rendit son passeport à Sarah. Dans l'avion, elle se cala contre le hublot, évitant les œillades des passagers qui montaient à bord. L'intervention de Christopher l'avait bouleversée et elle ressentait un besoin de solitude.

Elle ferma les yeux en se demandant si elle viendrait un jour à bout de cette affaire. Ou si c'est elle qui finirait par avoir sa peau.

— L'imagination, se terra, en feutre, pour
pourfexcité un assaillant. Vous pouvez que le tuba
qu'elle ne se dérobe pas à son devoir, et répandre
leelle rine son compte à constance.

— Intéressée de ? fer morph, des chutes passer er du
regard, tous s'étaient rassemblés, bientôt Saroj, et
al Officier Koofl oe le rvisa blance, pas obtenir et Fem
bornnet rompierr. acr of, si ua olla, avait-été riquide
prélannoise, inrespparable. Aissat, plutôt des reva-
secret nit, plou, pien ne souhaitent desavez d'enautre,
coporal fue, introud rezel, d'au d'il fenote, féunation.
d'aur rendu, théorème de le bre somme la ralitel de
redni son passe pont, apparte, Danael avon, aile se cena
genore la babil, nowhtatu tres, cao funter oes pian fugne et
produisent, Achota révolverjon de los de, stonnel et
prodyrsta et afon resolsant, un be som de sobulsont
d, Tac, fanne les, veu, un se deu eroihns, et, stendert.
tabula, se nont, de, sume, afinalt, On, aila, e, mo, elle, de,
fin tentare, avjor loe pouc, comme.

33

Adrian profita de leur escale à Moscou pour vérifier ses mails. La directrice de la faculté de langues étrangères lui avait envoyé les coordonnées d'un interprète professionnel à Tomsk. Il prit contact avec lui sur-le-champ et ils se mirent d'accord sur un tarif avant de se donner rendez-vous à l'aéroport.

Pendant les quatre heures de vol restantes, Sarah suivit une réflexion entrecoupée d'assoupissements, jusqu'à ce rêve troublant où Christopher lui tenait le visage entre les mains et lui disait avec la voix de son père : « *Timshel.* » À leurs côtés dormait un nourrisson. Sarah le prenait dans ses bras et le laissait tomber par terre.

Elle se réveilla en sursaut. Adrian dormait sur le siège voisin. Pour quelqu'un qui s'embarquait dans une affaire aussi dangereuse, y compris pour sa carrière, elle lui trouva un visage serein. La rigueur de son attitude disparue, ne demeuraient que l'harmonie de ses traits, ses lèvres charnues et sa peau d'enfant. Si elle avait été croyante, elle aurait volontiers cédé à l'idée d'y voir un ange envoyé pour l'épauler dans son épreuve.

— Vous avez pu dormir ? marmonna Adrian en se massant le cou.

Il venait de s'éveiller et posa ses grands yeux bleus sur Sarah. Elle lui répondit d'un haussement d'épaules.

« Préparez-vous à l'atterrissage. »

Tous les passagers redressèrent leur fauteuil en attendant que l'appareil se pose. Après les contrôles d'identité, Sarah et Adrian retrouvèrent leur interprète qui les attendait avec une pancarte. L'homme moustachu et bedonnant portait de grosses lunettes aux verres fumés typiques des années 1970. L'air avenant, il se présenta :

— Bonjour, madame Geringën. Je m'appelle Dimitri Moraïev.

Sarah lui demanda de les conduire à l'embarcadère vers l'Ob et, ensemble, ils quittèrent l'aéroport à 7 h 30 du matin.

Ils traversèrent la ville de Tomsk. Malgré la température de 8 °C, les gens étaient encore peu couverts, comme s'ils essayaient de grappiller les dernières sensations de liberté vestimentaire avant l'interminable hiver et ses armures de manteaux. Sur les trottoirs, les mains enfoncées dans les poches, se balançant d'un pied sur l'autre, des babouchkas et des jeunes hommes, aux visages tannés par le froid, fumaient leurs cigarettes en surveillant les étals de pommes de terre, de gros cornichons en pots ou d'ouchankas qui tiendraient chaud d'ici à quelques jours.

La ville était un mélange d'immeubles en béton et de vieilles bâtisses couleur pain d'épice ornées de moulures, souvenirs d'une époque où les tsars en avaient fait la capitale de la Sibérie. Certaines façades auraient même pu avoir du charme, sans les câbles électriques au-dessus des rues qui formaient d'inextricables toiles d'araignée saturant le ciel.

— Qu'y a-t-il dans ces citernes jaunes devant lesquelles les gens font la queue ? demanda Sarah.

— Du kvas. Une espèce de limonade à base de pain. Ça désaltère bien.

Ils passèrent devant un parc de jeux au milieu duquel un ancien camion de l'armée remportait un grand succès, si l'on se fiait au nombre d'enfants occupés à grimper sur les roues et les missiles.

— Et là-bas, regardez, c'est le coude de la Tom qui mène vers l'Ob. On se rapproche de l'embarcadère. Où voulez-vous aller ? demanda Dimitri.

— Justement, on ne sait pas encore, répondit Sarah. Il nous faut un bateau pour remonter le fleuve.

— Mais jusqu'où ?

— On trouvera en chemin.

L'interprète écarquilla les yeux derrière ses épaisses lunettes. Sarah baissa la vitre : aux odeurs de métal émanant des rails des tramways se mêlaient de lointains relents de vase. Elle aperçut les rives du fleuve et sa courbure sablonneuse s'ouvrant sur un paysage de plaines jaunies où l'on devinait des reflets marécageux.

Le taxi les déposa et ils gagnèrent un ponton sur lequel se trouvaient un guichet et une supérette. Des rafales de vent brossaient l'eau à contre-courant. Dans un cabanon en bois, un homme fumait en regardant la télé. L'interprète parlementa pendant cinq bonnes minutes et Sarah sentit qu'il y avait un problème.

— Il dit qu'il aimerait savoir un peu plus où vous allez. Sinon, il ne s'engagera pas.

Sarah se doutait bien qu'on lui poserait cette question, mais elle ne pouvait pas y répondre avec précision. La seule solution était d'embarquer à Tomsk, de remonter l'Ob et de voir ce qu'ils trouveraient en chemin. Elle en convenait, c'était hasardeux. Restait à convaincre le propriétaire des bateaux de les emmener.

— Montrez-lui l'extrait du journal intime, suggéra Adrian. C'est tout ce qu'on a.

Sarah donna la feuille à Dimitri. Le marin reposa sa cigarette dans un cendrier et chaussa des lunettes. Après quelques lignes, il jeta le papier sur le comptoir devant lui et commença à invectiver Dimitri.

— Qu'est-ce qu'il dit ? s'enquit Sarah.

— Il dit qu'ici on ne veut plus entendre parler de cette histoire ! Que c'est mauvais, très mauvais pour eux. Que ça attire les fantômes et que ça chasse les touristes.

— Il sait donc où se trouve ce village ? Il sait ce qu'il s'est passé là-bas ?

Dimitri traduisit et le vieil homme répondit avec des gestes agacés.

— Il dit que c'est quelque chose de pas bien, transmit l'interprète. De pas bien du tout, mais qu'il ne veut pas en parler parce que ça porte malheur.

— C'est quoi ce village ? Un goulag ? insista Sarah en s'adressant au vieil homme en norvégien.

Ce dernier ne réagit pas jusqu'au mot goulag dont la prononciation devait être la même qu'en russe. À cet instant, il fit non de la tête avant d'ajouter un seul mot d'une voix basse.

Sarah adressa un regard interrogatif à Dimitri.

— Il a juste dit : « Pire. » Vous permettez que je jette un coup d'œil ? ajouta l'interprète en désignant le manuscrit.

— Attendez. La priorité, c'est que cet homme nous emmène là-bas. Combien il veut ?

S'ensuivit une vive discussion entre l'interprète et le propriétaire du bateau amarré au quai.

— Il est d'accord pour vous emmener. Mais à condition que vous partiez maintenant, que vous payiez 2 000 roubles, ce qui, si je peux me permettre, est un tarif exorbitant, que vous ne lui posiez aucune question et qu'il ne vous attende pas pour le retour. Il dit qu'il vous trouvera quelqu'un sur place pour vous reconduire ici.

Sarah n'avait guère le choix. Elle accepta.

— Quelle est la durée du trajet ?

— Environ huit heures, répondit Dimitri après s'être renseigné.

— Et il nous emmène où exactement ?

— Sur une île au milieu de l'Ob.

Ils achetèrent en vitesse quelques provisions à la supérette et rejoignirent le conducteur du bateau qui venait de tirer le rideau de sa guérite. Ce dernier démarra le moteur d'une embarcation à fond plat et aux allures de petite péniche.

— Ça parle de quoi, cette page de journal intime ? insista l'homme aux grosses lunettes.

Sarah la lui tendit. Il la lut et la lui rendit.

— Je comprends pourquoi le capitaine a dit ça. Je n'ai pas envie d'y être mêlé non plus. Payez-moi. Je ne viens pas avec vous.

— D'abord, dites-moi pourquoi.

— Parce que cette partie de notre histoire ne devrait plus être remuée. Si j'avais su, je ne vous aurais pas aidés.

Sarah lui donna son argent juste avant que le pilote ne largue les amarres en criant quelque chose.

— Qu'est-ce qu'il a dit ? demanda Sarah à Dimitri.

Et alors qu'ils gagnaient le centre du fleuve en glissant sur l'eau grise, ce dernier leur répondit en criant pour couvrir le bruit du moteur :

— Il a dit : « Les fantômes hantent l'île du Diable pour l'éternité. »

34

Sarah avait beaucoup voyagé, y compris dans le désert, mais jamais elle ne s'était sentie aussi loin de la civilisation que sur cette terre sibérienne. Depuis sept heures qu'ils naviguaient sous un ciel gris, les berges s'ouvraient sur des plaines de hautes herbes battues par le vent au milieu desquelles surgissait parfois un triste arbre solitaire. Ces étendues sauvages n'avaient à offrir que la désolation et l'écho des larmes de ceux qui s'y étaient perdus.

Il était près de 4 heures de l'après-midi et la lumière déclinait déjà quand le bateau se mit à ralentir. Le capitaine sortit de sa cabine pour désigner à ses passagers la rive gauche. Quelques cabanons de pêcheurs y somnolaient sur une terre sablonneuse et une poignée de barques mal en point flottaient aux abords d'un ponton.

Sarah et Adrian se regardèrent. Où était l'île ? Pourquoi abordaient-ils à cet endroit ?

Devant l'expression suspicieuse de ses passagers, le capitaine brandit un bidon d'essence : il avait besoin de refaire le plein. Il accosta et sauta à quai. Sarah le suivit pour se dégourdir un peu les jambes.

— Je reste là pour surveiller le bateau, dit Adrian.

Quand Sarah parvint au bout du quai, elle aperçut quelques silhouettes devant des maisons en rondins alignées le long d'un chemin cabossé. En s'approchant, elle découvrit des habitants aux visages ridés, tristes et méfiants, qui portaient des vêtements élimés semblant appartenir à une autre époque. Elle les salua d'un signe de la main. En réponse, certains marmonnaient en russe, d'autres se contentaient de la dévisager sans un mot, leur cigarette tordue pendant au coin des lèvres.

Lorsque le capitaine frappa à la porte d'une baraque délabrée, Sarah lui emboîta le pas. Un homme coiffé d'une casquette leur ouvrit, inspecta Sarah de la tête aux pieds et les invita à entrer.

Près de la cheminée où brûlait une maigre flambée, une femme d'une soixantaine d'années, enveloppée dans une robe et un fichu, était en train de coudre. Elle sourit à Sarah et lui désigna un fauteuil près du feu.

Le capitaine et le maître de maison échangèrent quelques mots avant que la discussion ne s'arrête brusquement. Sarah sentit alors le poids des regards sur elle. Le capitaine avait dû révéler leur destination. La conversation reprit, plus vive, tournant presque à la dispute. Les deux hommes sortirent dans la ruelle.

Sarah demeura seule auprès de l'âtre avec la femme dont le visage était devenu une pierre grise où se lisaient maintenant la peur et la méfiance. Elle se signait tout en marmonnant une prière qui se mêlait au maigre crépitement du feu. Sarah fut parcourue de frissons. Elle n'avait rien à faire ici.

Elle se dirigeait vers la sortie quand la femme se leva en secouant la tête pour aller fermer la porte de la maison à clé et tirer les rideaux. Sarah déclara qu'elle voulait partir, mais elle n'eut pour réponse que des paroles incompréhensibles et des gestes nerveux de négation.

Désormais, seule la lueur orangée du feu éclairait la pièce. Après avoir ouvert le tiroir d'un bahut, la femme revint vers Sarah et déposa délicatement sur la table un objet enveloppé dans un chiffon. Tout en récitant une succession de mots, la femme retira le tissu. Dans la danse craintive des flammes apparurent la couleur jaunie et les orbites noires d'un crâne humain.

Sarah tourna la clé de la porte et s'apprêtait à sortir quand la femme la rattrapa par l'épaule. D'un doigt tremblant, elle désigna l'os, comme si elle voulait montrer un endroit précis. Curieuse, Sarah se pencha et remarqua qu'il y manquait une partie de la mandibule droite.

À qui appartenait ce crâne ? Qu'était-il arrivé à cette personne ?

L'hôte de Sarah alluma une bougie dont la lueur fragile frôlait l'os. D'entre les lèvres de la vieille femme s'éleva un chant aux notes d'une noirceur et d'une tristesse telles qu'il semblait appeler la mort à faucher les derniers vivants. Prise d'effroi, Sarah déverrouilla cette fois la porte pour de bon et sortit. Sur le seuil, le mari de la vieille femme lui faisait barrage, psalmodiant la même funèbre mélopée.

Sarah le contourna et il la pointa du doigt en chantant plus fort. Elle remonta la ruelle en pressant le pas, et sentit un regard par-dessus son épaule. L'homme n'avait pas bougé et sa voix la poursuivait. Sarah se retourna, prête à courir, et elle les vit. À son passage des bougies s'allumaient une à une derrière les fenêtres, leurs lueurs vacillantes éclairant les regards des villageois qui la désignaient tous de leur index tendu.

De sous les portes de chaque maison, le chant enflait pour n'être plus qu'un refrain oppressant. Elle se mit à courir. La litanie spectrale frôlait de ses mains glacées la nuque de Sarah. Elle sauta sur la péniche et cria au capitaine de partir. À son ton, l'homme comprit. Il démarra le moteur pour rejoindre au plus vite le milieu du fleuve.

Le village s'éloigna.

Après avoir repris ses esprits, Sarah raconta à Adrian ce qu'elle venait de vivre.

— Je ne sais pas quel est le sens de tout cela, répondit-il. Mais il a dû se passer quelque chose de terrible là-bas.

L'appréhension de Sarah grandissait. Elle replongea dans ses pensées, son regard dérivant sur les remous du bateau. Le sinistre chant ne la quitta plus. Il bourdonnait à ses oreilles, il s'était infiltré sous sa peau. Les index des villageois pointés vers elle s'immisçaient sous ses vêtements et effleuraient sa chair.

De quelle folie ces femmes et ces hommes avaient-ils été les témoins ? Pourquoi craignaient-ils encore tant ce lieu ? Était-ce par superstition, ou se souvenaient-ils d'un drame bien réel ?

Après deux longues heures de silence à s'enfoncer dans les plaines sibériennes, Sarah sut qu'elle allait avoir les réponses à ses questions. Au détour d'un bras de l'Ob, mangée par un brouillard montant, l'île leur apparut.

35

L'épaule calée contre le mur de la cage d'escalier, Stefen réajusta son gilet pare-balles et rabattit la visière balistique de son casque.

— Cette fois, c'est la bonne, les gars. On a eu la confirmation que les deux ravisseurs sont à l'intérieur. Ils sont armés. L'otage est près de la fenêtre. La priorité est de récupérer la femme vivante. C'est bien clair ?

— Reçu, répondirent les trois membres des forces spéciales.

Prenant la tête du petit groupe, Stefen entama avec précaution l'ascension de l'escalier, marche par marche, son fusil d'assaut pointé vers le haut. Ils progressèrent en silence, en prenant garde à ne pas faire claquer les semelles de leurs bottes. Lorsqu'ils furent arrivés sur le palier, Stefen désigna l'appartement dans lequel se terraient les deux cibles et l'otage. Un des membres de l'équipe se plaça sur le côté de la porte et arma un bélier. En première ligne, Stefen alluma la lampe de son fusil et fit signe qu'il était prêt.

Les gonds cédèrent du premier coup et Stefen fit irruption dans la pièce, suivi des trois soldats.

Un homme était assis dans un canapé. Il eut à peine le temps de poser la main sur son arme qu'il se retrouva à terre, gémissant de douleur, les bras et les jambes en sang. Le second avait bondi par la fenêtre ouverte.

— Rattrapez-le ! Et toi, dis-moi où elle est ! hurla Stefen en pointant le canon de son arme sur le ravisseur à terre.

L'homme ne répondit pas.

— Surveille-le ! lança Stefen au coéquipier resté avec lui.

Puis il ouvrit l'unique porte qui donnait sur la pièce et la vit. Elle était évanouie d'épuisement, à moitié allongée sur le carrelage, les bras pendus à la robinetterie du lavabo.

Stefen la détacha, la prit dans ses bras et la secoua doucement.

Lentement, elle ouvrit les yeux.

— C'est moi, c'est fini, tout va bien maintenant.

Et avant même d'appeler les secours, il sortit son téléphone et envoya un message à Sarah.

36

Isolée des deux berges par les bras du fleuve, l'île, de cinq cents mètres de large sur trois kilomètres de long environ, était recouverte de végétation folle, d'une forêt de peupliers, et cernée par des barbelés de racines jaillies des eaux boueuses de l'Ob. Le capitaine coupa le moteur et laissa l'embarcation glisser jusqu'à une berge sablonneuse.

Adrian posa une main sur l'épaule de Sarah en lui demandant si elle allait tenir le choc. À ce moment, elle apprécia plus que jamais sa présence.

Tandis que tous deux mettaient pied à terre, le capitaine désigna quelques habitations au loin en leur disant quelque chose. À force de signes et de mimes, il parvint à expliquer qu'une barque du village d'en face viendrait les chercher dans deux heures. Puis il repoussa l'embarcation et partit sans même leur adresser un signe d'au revoir.

Sarah franchit un talus érodé par les inondations et parvint à une terre sèche envahie d'herbes qui lui montaient jusqu'à la taille. Le bruit du bateau disparu, ne demeuraient que le bruissement des feuillages ondulant au gré de bourrasques glacées et le clapotis des eaux tourbillonnant sur la rive.

— Que cherche-t-on au juste ? demanda Adrian.

Sarah n'en savait rien. Elle avait espéré qu'une fois sur place tout serait évident. Elle balaya le paysage du regard sans rencontrer la moindre trace d'occupation humaine et indiqua une direction face à elle. En l'absence de sentier, ils se frayèrent un passage vers l'intérieur de l'île, les fougères et les ronces griffant leurs vêtements.

— On devrait aller par là, dit Adrian en désignant la muraille de peupliers. On pourra voir ce qu'il y a de l'autre côté de l'île.

Ils traversèrent la forêt et, tandis qu'ils débouchaient sur une nouvelle plaine herbeuse, Sarah aperçut une pierre imposante derrière un amas de feuillages.

Elle écarta les branchages et dégagea, plantée dans le sol, une croix orthodoxe sur laquelle terminaient de sécher des bouquets de fleurs abandonnés. Une inscription en russe et une autre en anglais avaient été gravées dans la pierre.

Adrian lut à haute voix l'épitaphe en anglais : « Pour les victimes innocentes des années d'incroyance. »

Sa voix émue se mêla au souffle du vent.

Sarah effleura l'inscription de ses doigts. Agenouillé, Adrian semblait se recueillir, les mains posées au pied de la croix, comme s'il cherchait quelque chose. Il n'entendit pas le téléphone qui sonna dans sa poche, mais, quelques secondes plus tard, celui de Sarah annonça un SMS.

Elle recula de quelques pas et se retourna pour consulter l'écran. C'était un message de Stefen. À sa lecture, le sang de Sarah se glaça.

Elle fit volte-face en un éclair.

Adrian se dressait dans son dos, le regard fou, son bras valide armé d'une seringue.

37

L'aiguille s'arrêta à quelques centimètres de son œil. Sarah avait bloqué l'attaque de justesse. Mais, profitant de l'effet de surprise, Adrian la frappa au ventre avec son autre bras. Le poids du plâtre accentua la violence de l'impact. Sarah tituba et trébucha, lâchant son téléphone. Elle peina à se relever, prête à encaisser un nouveau coup, mais Adrian fonça ramasser quelque chose au pied de la croix.

L'esprit vif, Sarah supposa qu'il y avait caché une arme. Elle courut vers la forêt. Elle en franchissait la lisière quand une détonation claqua. L'écorce d'un arbre éclata à côté de son épaule. Elle slaloma entre les troncs et dérapa derrière une souche couchée dans la mousse.

Le sang tambourinant contre ses tympans, elle hasarda un prudent coup d'œil. Rien. Seulement la forêt, silencieuse, et le message de Stefen tournant dans sa tête.

> Adrian Koll est l'assassin de ton père.
> Il veut s'en prendre à toi.

Aussi immobile qu'une roche, elle épia les ombres. Où était Adrian ? Elle chercha autour d'elle un bout de bois suffisamment lourd pour s'en faire une arme, mais le sol était jonché de brindilles ou de branches vermoulues se désagrégeant sous les doigts. Elle frotta ses mains souillées de terre sur son visage pour masquer l'éclat de sa peau blanche.

Et soudain, ses poils se hérissèrent. Elle venait d'entendre des pas. Le menton écrasé dans l'humus et les feuilles mortes, les jambes écartées pour se stabiliser, Sarah fouilla la forêt du regard et finit par discerner la silhouette qui louvoyait entre les arbres.

— On ne s'enfuit pas de cette île ! cria Adrian.

Sarah leva lentement la tête. La forêt était dense, mais quelques feuilles clairsemées laissaient filtrer des traits de lumière. Une arme à feu brandie devant lui, Adrian approchait, prudent. Le plâtre de son bras avait disparu.

— Alors vous n'avez toujours pas compris ? lança-t-il. Qu'importe ! Ce qui compte, c'est que nous soyons tous les deux sur cette île, comme cela a toujours été prévu. Et qu'après toutes ces années justice soit enfin faite.

Une branche craqua à quelques mètres. Sarah banda ses muscles. Sa seule chance de s'en sortir était de réussir à attaquer son ennemi par surprise.

Toujours plaquée au sol, elle bloqua sa respiration. Elle sentit la présence d'Adrian et entendit son souffle. Il était là. Le cœur de Sarah explosa dans sa poitrine. Elle saisit Adrian par les chevilles et tira vers elle.

Il chuta lourdement. Sarah bondit sur son dos et le frappa de la pointe des métacarpes à la cuisse et entre les côtes. Elle lui enserra la gorge de toutes ses forces pour lui comprimer la trachée. De sa main libre, elle lui écrasa le visage dans le sol.

Adrian se débattit en poussant des cris de rage. Il chercha à frapper Sarah avec le canon de son arme en donnant des coups à l'aveugle dans son dos. Elle esquiva ses tentatives maladroites, jusqu'à ce qu'il parvienne à presser la détente de son arme. La balle fusa dans le vide, mais la détonation éclata contre l'oreille de Sarah. Sonnée, elle relâcha son étreinte. En un éclair, Adrian se retourna et lui assena un coup de poing au visage. Il était déjà trop tard quand elle vit l'ombre se pencher vers elle et lui planter une aiguille dans le cou.

Sarah tituba. Groggy, elle mit un genou à terre. Adrian la dominait de toute sa hauteur.

— Maintenant, vous allez comprendre ce que votre père a fait.

38

Sa tête lourde dodelinait comme une pierre au bout d'une corde. Le menton roulant sur le haut de sa poitrine, Sarah aperçut les silhouettes des arbres éclairées par une lune montante, et l'humus boueux de la forêt qui trempait ses pieds.

Pourquoi avait-elle si froid ? Pourquoi tout son corps était-il si douloureux ? Elle baissa les yeux et la peur électrisa sa conscience, dissipant les derniers effets du sédatif : ses seins, son ventre, ses cuisses étaient découverts, griffés et souillés de terre. Elle était nue, ligotée à un tronc d'arbre dont l'écorce râpeuse lui déchirait le dos.

Elle se débattit. Son épiderme s'arracha un peu plus et les liens se resserrèrent. Haletante, elle fouilla la pénombre du regard et distingua une ombre mouvante à quelques mètres d'elle.

— Il aurait été injuste que seul André Vassili paie pour son crime. Sa descendance porte ses gènes empoisonnés… À commencer par sa fille aînée.

Sarah poussa un cri de rage en tirant sur ses liens. Sa voix dérailla et son écho se fraya un chemin entre les peupliers de l'île avant de mourir sur les rives du fleuve, découragé par l'interminable toundra sibérienne.

— De quel crime accusez-vous mon père ? bredouilla-t-elle entre deux spasmes.

Il posa sur elle son regard bleu chargé de haine.

— Le capitaine nous a dit que cet endroit s'appelait l'île du Diable. En réalité, c'est parce que les habitants de Tomsk ont peur de prononcer son vrai nom.

Adrian s'approcha en brandissant un long couteau de chasse cranté.

— Non ! hurla Sarah en se débattant.

La lame s'arrêta à quelques centimètres de son ventre dénudé.

— Patience, soupira Adrian. Avant, vous devez savoir. Oui, parce que vous devez souffrir, comme mon père a souffert.

— De quoi parlez-vous ? éructa Sarah.

Adrian lui saisit le menton et planta son regard dans le sien.

— Voici les faits, Sarah Geringën. En février 1933, le chef du goulag a estimé que le nouveau régime politique russe ne se mettait pas en place assez vite. Il a adressé à Staline un plan de déportation de tous les éléments polluant la société socialiste en cours d'édification. Il fallait purifier la Russie pour que le socialisme pousse sur une terre neuve. Deux millions de personnes ont alors été déportées. Et sur ces deux millions, un million ont été contraintes de s'installer ou devrais-je dire de crever ici en Sibérie.

Adrian lâcha le menton de Sarah et planta son couteau dans le sol avant de le retirer d'un coup sec.

— Tous les prétextes étaient bons pour vous accuser d'être un élément polluant, poursuivit-il en poussant un petit souffle d'effort. Mon grand-père a été déporté pour avoir propagé des rumeurs antisoviétiques sur de prétendues pénuries alimentaires, à une époque où tout le peuple mourait de faim. On est venu le chercher en pleine nuit dans son petit appartement de Leningrad et on l'a emmené, avec ma grand-mère et le petit Mestivoï. Mon père avait quatre ans. Ses parents ont eu le temps d'emporter quelques vêtements, rien d'autre. Votre père, Sarah, a été raflé lui aussi, et jeté parmi ceux que l'on a appelés les koulaks, ces propriétaires terriens qui employaient des ouvriers agricoles. Votre grand-père, qui était paysan près de Moscou, a été battu pour avoir dissimulé une partie de sa récolte dans le dessein de nourrir sa famille. Les soldats l'ont balancé dans un camion avec sa femme et ses deux enfants, votre père Andreï et sa sœur Dunya.

Les paupières closes d'épuisement, Sarah entendit du bruit à côté d'elle. Elle entrouvrit les yeux et aperçut son tortionnaire qui s'accroupissait pour tailler un morceau de bois. La lame était si affûtée qu'elle s'enfonçait dans l'écorce comme dans du beurre.

— Et c'est ainsi que nos destins se sont liés, Sarah. Le 1er mai 1933, nos deux familles apeurées, affamées, se sont retrouvées à Tomsk avec des milliers d'autres déportés dans le plus grand camp de transit. Ils ont découvert que la police les avait mélangés avec des délinquants, des voleurs, des criminels. Ils sont restés parqués là pendant plusieurs jours, sans connaître le sort qui leur était réservé. Jusqu'à ce que près de cinq mille d'entre eux soient tassés dans un convoi de quatre péniches vers une destination inconnue…

Adrian marqua une pause dans son récit pour reprendre son souffle.

— Ils ont voyagé debout pendant six jours, entassés les uns sur les autres sans presque rien à manger ni à boire. Ils ne pouvaient pas s'allonger plus de deux heures par jour pour dormir, par manque de place. Les toilettes étaient à même la cale. Le matin du 18 mai 1933, le capitaine du convoi les a débarqués sur une petite île de peupliers et de marécages. Quatre mille cinq cent cinquante-six hommes et trois cent trente-deux femmes, certains en guenilles, d'autres en veston et souliers de ville, ont été déversés comme de la marchandise sur cette île de malheur. La plupart des déportés, amaigris et épuisés, n'arrivaient pas à se tenir debout. Les plus résistants avaient ordre de porter les plus faibles. Et quand ils se sont trouvés tous à terre, les soldats sont allés extraire au fond des cales les cadavres des vingt-sept déportés qui n'avaient pas survécu au transfert depuis Tomsk.

La voix d'Adrian s'approcha de son oreille.

— À cet instant, ils ne savaient pas encore qu'ils allaient être abandonnés ici. Le lendemain matin, une tempête de neige s'est levée. Ils ont tenté d'allumer des feux avec du bois humide. C'est alors que les commandants ont voulu distribuer la seule nourriture qu'ils avaient emportée : de la farine. À raison d'une livre par personne. On les a fait mettre en rang. Les plus chanceux présentaient leur chapka, d'autres un soulier, d'autres encore un pan de leur veste. Les plus démunis, comme mon père, n'avaient que leurs deux mains crispées de froid pour recevoir la portion réglementaire.

Adrian passa un doigt sur les côtes de Sarah, comme un boucher chercherait par quel endroit commencer la découpe d'une carcasse.

— Qu'est-ce qu'ils pouvaient bien faire de cette farine ? reprit-il. Alors ils ont creusé des petits trous dans la terre et l'ont mélangée à l'eau de la rivière. Ils ont bu cette mixture. Les plus affamés se sont étouffés, les autres ont contracté la dysenterie. Des bandes se sont alors organisées pour piller ceux qui avaient eu la chance de pouvoir emporter de la nourriture. On frappait, on tuait jour et nuit, le chaos était total. Les gardes étaient dépassés.

Adrian s'interrompit alors que des bourrasques faisaient bruire les feuilles et transperçaient Sarah comme autant de lames glacées.

— Les prisonniers de l'île ont alors commencé à s'attaquer aux premiers cadavres. La faim se faisant plus pressante, les déportés, comme des vautours, se postaient autour des mourants pour les dévorer ou récupérer leurs dents en or qu'ils échangeaient contre un peu de farine auprès des gardes. En l'espace d'une journée, les gardes ont retrouvé des dizaines de sacs de toile pendus aux arbres et contenant des foies, des cœurs et des poumons arrachés à soixante-dix cadavres. L'île de Nazino où nous sommes ne s'appelle pas l'île du Diable. Elle a pour vrai nom l'île aux Cannibales.

Adrian planta brutalement son couteau dans le tronc d'arbre, en frôlant le visage de Sarah.

— Quand les morts n'ont plus été assez nombreux pour nourrir les vivants, la chasse a débuté. Dans la journée du 17 août 1933, mon grand-père a dû échanger ses chaussures contre un croûton de pain. Ma grand-mère était trop faible pour bouger. Les extrémités de ses membres avaient gelé et commençaient à gangrener. Alors mon grand-père a dit à mon père : « Mestivoï, je compte sur toi pour surveiller ta mère. Si tu vois des bandes s'approcher, tu cries très fort. Je reviens tout de suite. » Il était parti depuis dix minutes à peine, quand ils sont arrivés.

Adrian regarda vers la rive de l'Ob, puis reprit.

— Ma grand-mère s'est mise à courir en tirant mon père par la main. Ils les ont rattrapés. Sous les yeux de son fils, ils ont attaché ma grand-mère à un arbre tout comme vous l'êtes maintenant. Et ils lui ont découpé les seins, les cuisses, les fesses, les mollets.

Sarah n'était plus que panique, épouvantée par ce qu'elle entendait et par le sort qu'Adrian semblait lui réserver, le regard étincelant de haine.

— Alors qu'ils la dépeçaient vivante, ma grand-mère les a suppliés d'épargner son enfant. Ils ont répondu que ça dépendrait de ce qu'elle leur donnerait à manger. Ils ont ri. Lorsque mon grand-père est arrivé en courant, ma grand-mère était encore en vie, mais ils avaient déjà entamé les morceaux sectionnés. Quand il a voulu la détacher, ils l'ont frappé. Et ils ont découpé la tête de ma grand-mère avec un couteau. Ils étaient quatre hommes, une femme, un petit garçon et une petite fille.

Adrian tremblait. Et dans le délire de sa souffrance, Sarah commençait à tout comprendre.

— Vos grands-parents ont dévoré le cœur, le foie, les muscles de ma grand-mère, et ils ont fait bouillir sa cervelle pour la découper plus facilement. Le petit garçon qui accompagnait les assassins, c'était votre père.

Adrian saisit Sarah par la gorge.

— Vous pensiez qu'il avait tué sa petite sœur Dunya… Non, elle est morte de faim. Mais Andreï Vassili a mangé ma grand-mère. Il l'a mangée devant mon père, cherchant par quel morceau il allait pouvoir entamer son corps quand viendrait son tour.

Malgré sa douleur et sa peur, Sarah était horrifiée par ce qu'elle venait d'entendre.

Adrian approcha le couteau du visage de son otage.

— Comme beaucoup de ces cannibales, votre père a développé une intolérance à la chair humaine. Et il est mort par où il avait péché. Le choc anaphylactique qui l'a tué a été déclenché par la chair humaine que je l'ai contraint à avaler.

Sarah releva péniblement le menton alors que ses poumons ne parvenaient plus à s'emplir d'air.

Adrian la souleva sous les bras pour qu'un peu d'oxygène gagne sa poitrine.

— Une dernière chose : ma grand-mère s'appelait Ivana.

Sarah entrouvrit les yeux.

— Oui, votre père a pris la personnalité de sa victime pour tenter de surmonter sa culpabilité, lança Adrian. Il a eu l'indécence de continuer de vivre après avoir détruit la vie de mon père. Il est temps pour moi de corriger le destin. Œil pour œil, dent pour dent. Ainsi va la vengeance saine.

Adrian approcha son couteau.

Et la raison de Sarah rendit grâce.

39

Adrian termina de se sécher les mains à l'aide d'une serviette carrée disposée à cet effet sur un meuble en bois incrusté de nacre. Il ajusta son costume et lissa ses cheveux avant de s'examiner dans la glace. Prenant une grande inspiration, il rejoignit un salon qui donnait sur une vaste pelouse bordée d'arbres. Il écarta un rideau en velours masquant un mur et dévoila un ascenseur privé dans lequel il entra.

À l'étage inférieur, les portes s'ouvrirent sur une crypte éclairée de spots rouges. Posé au centre de la petite pièce, sur un large socle en pierre, trônait un cercueil de verre.

Adrian s'en approcha pour contempler le visage éteint d'un vieil homme.

— Bonjour père, dit-il religieusement en posant la main sur le couvercle. J'ai l'honneur de t'annoncer que la vengeance a été accomplie. Andreï Vassiliev est mort par où il avait péché. Nous avons enfin corrigé notre destinée.

Adrian soupira de soulagement en s'asseyant sur un siège capitonné à côté de la dépouille de son père.

Visiblement satisfait, il contempla les murs du caveau et s'attarda sur des bas-reliefs sculptés qui se dessinaient dans la lueur des éclairages. À la façon d'un chemin de croix retraçant les épisodes de la Passion du Christ, ils narraient la tragédie de son père. On voyait d'abord Mestivoï encore bébé dans les bras de sa mère, à l'abri d'une modeste masure. Puis étaient représentés la capture par les miliciens du régime de Staline, la déportation sur la péniche et enfin le petit garçon en pleurs devant sa mère décapitée et dévorée sur l'île de Nazino.

Adrian se leva pour caresser la fresque sculptée où l'histoire de Mestivoï se poursuivait : il parvenait à s'enfuir, travaillait dans une mine, jusqu'à se retrouver assis devant un imposant bureau, d'autres mineurs travaillant à ses pieds. De là, il compulsait des documents et des livres, célébrait un mariage et la naissance d'un enfant. Puis il enterrait sa femme. Dans les deux icônes suivantes, Mestivoï tenait par l'épaule un enfant chétif à qui il remettait un couteau, et enfin il reposait sur son lit de mort. La dernière scène était de facture plus récente et on y reconnaissait Adrian, un couteau dans la main, l'autre posée sur le cercueil de son père.

Adrian se rassit sur le siège face à son père défunt.

— Cela dit, je voulais te faire part d'un projet particulier que je nourris depuis longtemps. De la même façon que j'ai souffert de la douleur que tu m'as transmise, j'ai tenu à ce que la fille aînée de Vassiliev souffre à son tour afin que la justice soit entière. Mais pour être totalement parfaite, ma vengeance sur Sarah Geringën doit atteindre une dimension autre que le châtiment par lequel a péri son père. Je te tiendrai au courant. Et je crois que tu seras très fier de moi.

40

Un filet de lumière perça à travers ses paupières mi-closes. Sa vue s'ajusta et Sarah comprit qu'elle était allongée sur un lit, dans une pièce austère dont la seule luminosité provenait d'une étroite fenêtre munie de barreaux.

Lorsqu'elle voulut se redresser, une violente douleur la poignarda au niveau de la poitrine.

Elle posa un pied mal assuré au sol et, s'appuyant sur le rebord du lit, puis contre le mur, elle progressa lentement jusqu'à trouver une petite salle de bains. Respirant par saccades, elle reprit son souffle, les deux mains agrippées au rebord du lavabo, sous le miroir. Puis elle retira son débardeur pour se retrouver en culotte et torse nu.

Le choc fut d'une intensité telle que les larmes coulèrent. À la place de son sein gauche ne restait plus qu'une peau rougie, boursouflée à la façon d'une bouche cousue. À droite, son sein demeurait intact. Le contraste n'en était que plus insupportable. D'une main tremblante, Sarah toucha sa chair reconstituée. Elle sentait nettement les plis de la peau qui avait été greffée pour combler la béance du sein coupé. Une peau qui avait dû être prélevée sur son ventre, à en juger par la cicatrice qui traversait son abdomen.

Elle se laissa tomber sur le carrelage et s'effondra, la tête enfouie entre ses genoux, le corps secoué par les hoquets de sa peine. La porte de la chambre se déverrouilla puis s'ouvrit. La pudeur reprit ses droits. Elle enfila son tee-shirt et sortit de la salle de bains.

Une femme d'une trentaine d'années venait d'entrer en poussant un chariot en inox. Les pommettes hautes, une coiffe blanche nouée derrière la tête, elle portait une blouse d'infirmière.

— Vous n'auriez pas dû vous lever. Vous êtes encore faible, lui dit la femme dans un anglais teinté d'accent russe. Veuillez vous rallonger, s'il vous plaît, ajouta-t-elle en refermant la porte qui se verrouilla automatiquement.

— Qui êtes-vous ? Où suis-je ? répliqua Sarah en la défiant du regard.

— Je viens m'assurer des bonnes suites opératoires. Avez-vous mal quelque part ? demanda la jeune femme en se désinfectant les mains avec de l'hydrogel.

Sarah ne sut quoi répondre.

— Je vais contrôler vos cicatrices. C'est dans votre intérêt. Il serait sage d'éviter une nécrose généralisée.

L'infirmière passa un masque chirurgical, enfila des gants de soins, puis s'avança vers Sarah. Les deux femmes se toisèrent avant que Sarah ne retire son débardeur. Elle sentit le contact du gant sur sa peau alors que les doigts suivaient les contours des cicatrices.

— Pourquoi suis-je ici ? Où est Adrian ?

L'infirmière ignora ses questions. Elle s'éloigna de Sarah, retira ses gants et les jeta dans une poubelle sous son chariot.

— La cicatrisation est en bonne voie. En une semaine, les plaies se sont bien refermées.

— Pardon ? Vous avez dit une semaine ?

— Oui, on vous a plongée dans un coma artificiel pendant sept jours afin de vous épargner la douleur.

Soudain, Sarah fut en proie à un doute, ou plutôt submergée par un espoir. Avait-elle été recueillie et sauvée par des inconnus ?

— S'il vous plaît, répondez-moi. Où m'avez-vous trouvée ? Qu'est-ce que je fais là ?

— Le Correcteur vous a amenée.

Sidérée par la réponse de l'infirmière, Sarah la regarda s'en aller et refermer la porte à clé.

Elle poussa son lit jusque sous la fenêtre à barreaux. Puis elle monta sur le matelas et se hissa sur la pointe des pieds.

Elle découvrit une vaste clairière ceinturée d'arbres, derrière lesquels on devinait des collines et des montagnes. Au cœur de cet espace dégagé se dressait un grand bâtiment de verre. Des chemins en béton sillonnaient le terrain et des personnes en blouse blanche se croisaient en échangeant parfois quelques mots. Un peu plus loin, à l'écart, elle aperçut un groupe de petits chalets entourés de jardins soignés.

Où avait-elle été emmenée ? Et pourquoi Adrian lui avait-il laissé la vie sauve ?

41

Sarah eut l'impression que plusieurs heures s'étaient écoulées, dans un silence absolu. Elle n'arrivait pas à croire qu'elle se trouvait de nouveau enfermée dans une cellule, cette fois au cœur des étendues de Sibérie. Personne ne savait qu'elle était là. Seule, dans son corps mutilé, elle ignorait quel sort lui serait réservé. À tout instant, la porte de sa chambre pouvait s'ouvrir et on la traînerait de force quelque part pour la supplicier de nouveau, l'humilier, peut-être même l'achever.

Seulement, le désespoir ne la sauverait pas. Il lui fallait échafauder une évasion. Trouver une solution pour au moins tenter de s'enfuir d'ici. Ne serait-ce que pour ne pas mourir en victime. Elle éprouva à plusieurs reprises les barreaux de la fenêtre de sa chambre. Moins dans l'espoir de passer à travers l'ouverture bien trop étroite que pour s'en faire une arme. Mais ils étaient fermement fixés. Et impossible de démonter les éléments de son lit.

Alors qu'elle tournait en rond à la recherche d'une solution, elle se figea. Un hurlement venait de résonner au loin. Un cri déchiré par l'épouvante. Puis plus un bruit.

Que se passait-il entre ces murs ?

Électrisée par la menace, Sarah s'imagina appeler l'infirmière et la neutraliser dès qu'elle passerait la porte. Mais ses cicatrices encore trop jeunes avaient toutes les chances de se rouvrir.

Il fallait trouver une autre solution. Et vite.

Elle fit glisser son index sur l'arête aiguë d'un mur et fut satisfaite de la sensation. Puis elle colla l'oreille contre la porte, guettant le moindre pas. La lumière du jour déclinait. Des heures s'écoulèrent, pendant lesquelles Sarah s'assit, se releva. Et soudain, elle entendit l'infirmière qui revenait.

Elle appliqua les paumes de ses mains de chaque côté de l'arête saillante du mur, prit une grande inspiration et cogna son front contre l'angle de la paroi. Pile sur l'arcade sourcilière. Explosion de douleur dans le crâne, voile noir devant les yeux, Sarah s'écroula par terre, la main plaquée sur le visage alors que le sang s'écoulait entre ses doigts.

La porte s'ouvrit.

— Mais qu'est-ce que… ? s'écria l'infirmière.

Sarah avait fermé les yeux et ne bougeait plus. L'effort pour feindre l'évanouissement était d'autant plus dur qu'elle devait lutter pour ne pas se tordre de douleur. Elle sentit qu'on lui secouait le bras mais ne réagit pas. Une odeur d'éther chatouilla ses narines. L'infirmière vérifiait si elle respirait encore.

— Hey ! Réveillez-vous ! Une civière ! Vite !

Quelques instants plus tard, des pas pressés se firent entendre dans le couloir. Deux paires de bras la soulevèrent et la déposèrent sur un brancard.

— Doucement ! Le Correcteur tient à la garder intacte, ordonna l'infirmière.

Sarah perçut le mouvement d'un virage et le brancard s'immobilisa.

— Laissez-moi, ordonna l'infirmière à la personne venue lui prêter main-forte.

Une porte se referma et dans le même temps on lui saisit le poignet. Sarah reconnut le bruit caractéristique d'une menotte que l'on verrouille et éprouva le contact froid du métal sur son épiderme. On venait de l'attacher au brancard. Puis l'infirmière appuya une compresse désinfectante sur sa blessure.

Cette fois, Sarah ne put contenir un souffle de douleur et entrouvrit les yeux.

— Comment vous êtes-vous fait ça ? demanda l'infirmière qui inspectait la plaie avec une lampe de poche.

Sarah regardait autour d'elle. Elle avait été emmenée dans ce qui ressemblait à une infirmerie.

— J'ai eu un vertige, finit-elle par balbutier.

— La plaie n'est pas très profonde, des strips de suture devraient suffire.

Sarah se laissa faire tandis que l'infirmière lui refermait l'arcade sourcilière à l'aide de minces bandelettes.

— Maintenant, reposez-vous, ordonna la soignante en s'éloignant un peu.

Allongée, Sarah en profita pour repérer discrètement les lieux et recueillir des indices. Elle bougeait lentement la tête en veillant à ne pas se faire remarquer.

Sur une table, elle aperçut des dossiers, un petit pot rempli de stylos et, à côté, une armoire à pharmacie.

Un téléphone mural sonna. L'infirmière décrocha.

— Oui… elle est à l'infirmerie. Non, rien de grave. Une mauvaise chute à la suite d'un vertige. Bien, j'arrive.

Une fois la soignante sortie de la pièce, Sarah vérifia l'attache de ses menottes. Elle connaissait leur mécanisme par cœur, et il suffisait parfois d'un mauvais enclenchement pour les ouvrir. Mais son espoir fut rapidement déçu. Elle se redressa sur son brancard et chercha ce qui pourrait peut-être lui permettre de retirer ses menottes. C'était un exercice auquel on les soumettait dans les forces spéciales et Sarah avait déjà eu à le mettre en application. En Afghanistan, ce n'était pas seulement un entraînement…

Elle mit un pied à terre, étira son bras pour tenter d'attraper le pot de stylos, mais le brancard roula derrière elle et heurta la table. Un verre bascula dans le vide. Avec une célérité qui lui était propre, Sarah tendit sa jambe juste en dessous pour amortir la chute. Le récipient rebondit sur son pied et partit sous un meuble.

Sarah retint son souffle. Aucun bruit.

Le pot de stylos était désormais à sa portée. Comme elle l'espérait, quelques trombones traînaient au fond. Elle en déplia un jusqu'à ce qu'il ne soit plus qu'une tige droite à peine courbée à son extrémité. Et d'une main experte, elle manipula la serrure jusqu'à libérer l'attache.

Marchant à pas prudents, Sarah entrouvrit la porte. Par l'interstice, elle aperçut un couloir qui menait à gauche vers sa cellule et à droite vers une série de trois portes. Elle s'engagea dans cette deuxième direction, priant pour que personne ne surgisse à cet instant. Elle écouta à la première porte. Pas de bruit. Avec une précaution crispée, elle enfonça lentement la poignée. La porte était fermée à clé. Sarah répéta son geste sur la deuxième porte. Verrouillée également. En restait une dernière, au fond du couloir.

Maintenant qu'elle en était plus proche, elle se rendit compte que cette troisième porte était différente des autres. Alors que les deux battants précédents étaient blancs et lisses, celui-là était en vieux bois brut et veiné.

Elle enroula ses doigts autour de la poignée en métal ouvragé et, lorsqu'elle découvrit ce qu'il y avait derrière la porte, son cœur manqua un battement.

42

Devant Sarah s'étendait une prairie de bouleaux dont les racines s'enfonçaient dans une terre humide, alors que leur feuillage flirtait avec un ciel gris d'orage. Le décor rappelait à s'y méprendre l'île du cauchemar. Tout était semblable, jusqu'aux relents de vase. Elle venait de pénétrer dans une salle qui était une réplique de l'île de Nazino. Ne manquait que le fleuve glacé cernant cette terre maudite.

Les herbes se couchèrent sous ses pas alors qu'elle avançait avec prudence. Pourquoi cette reproduction grandeur nature ? Intriguée, elle s'enfonça un peu plus dans la pièce et sentit ses pas glisser sur quelque chose. Elle baissa la tête et ne mit guère de temps à reconnaître la substance qui tachait le sol : du sang. Du sang frais.

Sarah recula, se rappelant le cri effroyable qu'elle avait entendu depuis sa chambre. Et alors elle distingua, sur quelques arbres qui encerclaient l'herbe souillée, une dizaine de photos clouées aux troncs. Sur chaque arbre, le portrait d'une personne âgée surmontait celui d'une personne plus jeune. Lorsque Sarah reconnut deux visages, celui de son père et le sien, elle comprit ce que cela signifiait. Ces portraits étaient ceux de déportés de Nazino et d'un de leurs descendants.

Se refusant à imaginer ce qui se jouait dans cette salle, Sarah pressa le pas vers une porte opposée à celle qu'elle avait empruntée. Mais alors qu'elle était à mi-chemin, elle perçut des cris, étouffés. Elle eut juste le temps de se tapir dans les hautes herbes et la porte s'ouvrit à la volée.

Sarah repéra trois personnes : Adrian, une femme et un homme que cette dernière traînait par une corde accrochée au cou. Mains liées dans le dos et sac de toile sur la tête, l'homme se débattait et hurlait. La femme avait le visage déformé par la colère. Elle tira d'un coup sec sur la corde et contraignit son otage à se plaquer contre l'un des arbres. Puis elle enroula la corde autour du tronc afin de l'immobiliser, et arracha le sac qui lui recouvrait le visage. Sarah ne mit pas longtemps à reconnaître l'un des jeunes hommes dont la photo était clouée à un arbre.

Un bandeau lui entravait la bouche, et ses cris n'étaient qu'une terrible détresse étouffée.

La femme saisit son otage par les cheveux.

— C'est bien ton père que tu vois là ? lui demanda-t-elle dans un anglais approximatif.

L'homme ne répondit pas. La jeune femme sortit un couteau et lui appuya la lame sur le cou.

— C'est bien ton père que tu vois là ? répéta-t-elle avec une haine qui transpirait dans chacun de ses mots.

L'homme approuva d'un maladroit mouvement de tête.

— Eh bien, ton père devait avoir quinze ans sur l'île de Nazino. Et, un jour qu'il cherchait du bois sec, il a repéré une jeune femme qui avait accouché d'un bébé à l'écart des campements. Il a profité de l'épuisement de cette fille pour lui arracher son nourrisson. Fièrement, il l'a ramené à son groupe et...

La femme avait la main qui tremblait et la lame de son couteau entaillait déjà le cou de l'otage.

Sarah devait prendre sur elle pour ne pas intervenir.

— Cette mère à qui on a volé son enfant pour le dévorer, c'était *ma* mère ! cracha la femme. Ma mère qui par miracle a survécu.

— Il est temps de mettre en œuvre la vengeance libératrice, déclara alors Adrian. Il est temps de corriger ce que la vie a mal fait. Il est temps de commencer ta guérison.

La femme arracha les vêtements de son supplicié. Puis elle approcha son couteau de ses parties génitales.

— Sur l'île, c'est par là que les hommes étaient consommés en premier.

Sarah détourna les yeux. Dans les cris de haine du bourreau se mêlant à l'indicible hurlement du martyr, elle recula en direction de la porte par laquelle elle était entrée.

L'agonie de la victime s'acheva et Sarah entendit Adrian féliciter cette femme qui avait tout d'un disciple.

— Tu as fait montre d'un courage dont peu peuvent encore se vanter sur cette terre. Tu vas pouvoir intégrer notre programme de correction.

Adrian et la femme quittèrent alors la grande salle et Sarah ouvrit en hâte la porte pour rejoindre l'infirmerie.

Deux canons de pistolets-mitrailleurs la stoppèrent dans son élan.

— Non ! Le Correcteur tient à la garder intacte, intervint l'infirmière.

Abattue et en rage contre elle-même, Sarah n'eut d'autre choix que de regagner sa chambre sous l'escorte armée.

Lorsque le verrou de sa porte claqua, les questions affluèrent sous son crâne. Adrian allait-il lui aussi la traîner dans cette réplique de Nazino pour l'achever ? Mais dans ce cas, pourquoi ne l'avait-il pas fait lorsqu'ils étaient véritablement sur l'île ?

Dévorée par l'anxiété, Sarah grimpa de nouveau sur son lit placé sous la fenêtre. Quelques personnes en blouse déambulaient sur les allées bétonnées. La plupart sortaient ou entraient dans le grand bâtiment de verre qui dominait le centre. À quoi pouvait bien servir tout ce personnel ?

43

Épuisée nerveusement, Sarah avait enfin réussi à s'assoupir, quand elle fut réveillée en sursaut : Adrian venait d'entrer dans sa chambre.

Il referma la porte derrière lui, laissant les deux gardes dans le couloir.

— Vous allez être transférée dans un bâtiment sous plus haute surveillance, dit-il.

— Pourquoi m'avez-vous laissé la vie sauve sur l'île ? demanda Sarah.

— Vous n'êtes plus inspectrice, ici. Je n'ai pas à vous répondre.

— Vous me devez au moins la réponse à cette question : pourquoi avoir tué mon père ? Il n'était qu'un enfant sur l'île.

— Mon père avait le même âge que le vôtre, mais il a préféré mourir de faim plutôt que de consommer de la chair humaine.

— C'est ce dont vous essayez de vous convaincre, parce que le rôle de la victime est tellement plus confortable, s'emporta Sarah. Mais vous savez au fond de vous que l'enfer de cette île pouvait transformer n'importe qui en monstre, même le plus doux des hommes. Que tout n'a été qu'une question de circonstances et en aucun cas de choix moral, comme vous le prétendez ! À quelques jours près, la faim aurait conduit votre père au même renoncement !

— La seule chose que je sais, c'est que mon père ne l'a pas fait, répliqua-t-il. Contrairement au vôtre. Le sang des Kollvakov n'est pas aussi corrompu que celui des Vassiliev.

Le jeune officier au visage lisse avait laissé place à un homme sûr de lui, dont l'intonation montrait qu'il était habitué à se faire obéir. Sa mèche qui plus tôt balayait son front était désormais plaquée en arrière, dégageant un front bombé et des yeux animés d'une sinistre détermination.

— Je ne sais pas ce que vous comptez faire de moi, mais si je dois mourir ici, ayez au moins la générosité de m'expliquer comment vous êtes parvenu à me faire tomber dans votre piège.

— Vous êtes en colère contre vous-même, n'est-ce pas ? La célèbre inspectrice Geringën est rongée par son échec.

Sarah ne lui offrit pas la satisfaction de lui répondre. Elle patienta en silence.

— Vous avez de la chance, je suis d'humeur à vous expliquer comment je suis parvenu à tuer votre père et à faire de vous une victime. Pour une raison très simple : cela me procure un plaisir absolu.

Adrian s'adossa à la porte, les bras croisés, toisant Sarah.

— Après avoir survécu à Nazino et aux cannibales, mon père a fui la Russie pour se réfugier à Barentsburg.

Sarah connaissait cette ville de l'archipel de Svalbard plongé dans l'océan Arctique. Notamment parce qu'elle avait la particularité d'être sous souveraineté norvégienne, mais habitée quasi exclusivement par des Russes et des Ukrainiens.

— Lorsque le communisme a rendu l'âme et que les biens de l'État ont été privatisés, il est parvenu à se placer pour récupérer la mine de charbon. Je suis né et j'ai grandi là-bas, à Barentsburg, apprenant le russe, le norvégien et surtout l'histoire de mon père. Je le voyais diriger son entreprise tout en cherchant par tous les moyens à retrouver Andreï Vassiliev, votre père.

Adrian planta son regard dans celui de Sarah.

— Malheureusement, il est mort avant d'avoir pu accomplir son destin. Mais il m'a légué sa fortune pour que je puisse accomplir sa vengeance.

Sarah sentit Adrian de plus en plus habité par son discours.

— J'ai alors fait construire ce centre en Sibérie. Le gouvernement russe a été ravi d'accueillir mon projet. Et puis j'ai modernisé les méthodes de recherche de mon père en chargeant des agences spécialisées de traquer les occurrences d'Andreï Vassiliev ou d'appellations approchantes dans la presse du monde entier. Et c'est grâce à vous que j'ai retrouvé votre père, Sarah.

— Quoi ?

— Oui, je sais, c'est cruel à entendre, mais c'est la vérité. Lorsque votre affaire du Vatican a éclaté et que vous avez été emprisonnée, la presse s'est précipitée pour interviewer vos parents. Et c'est là que le nom et le prénom de votre père André Vassili sont sortis !

Sarah ferma les yeux. Adrian avait raison. Son récit lui faisait mal.

— J'ai fait le voyage jusqu'en Norvège et j'ai observé votre père pendant que vous étiez en prison. J'ai découvert sa double personnalité, son manoir, sa crypte et surtout l'extrait du journal intime de sa mère qui évoquait Nazino et prouvait qu'il était bien l'homme que je cherchais.

Adrian se décolla du mur et se mit à marcher dans la petite cellule. Sarah lisait sur son visage le plaisir physique qu'il éprouvait à dérouler devant elle son récit.

— Mais vous l'avez compris, tuer votre père n'était pas l'objectif final. Le but ultime, c'était vous.

Adrian s'était dangereusement rapproché de Sarah, l'index pointé vers elle. Il reprit le contrôle de lui-même, passa une main sur ses cheveux plaqués et se radossa au mur.

— Mon objectif a toujours été de vous amener jusqu'à Nazino, puis ici. Cela aurait été trop hasardeux d'essayer de passer les douanes et d'enchaîner les aéroports en vous contraignant. La seule solution était de vous faire venir en Sibérie par vous-même. C'est pour cette raison que j'ai tué votre père la veille de votre sortie de prison. C'est aussi pour cette raison que j'ai mis en scène sa mort. Il n'était qu'un appât afin que votre esprit d'inspectrice se mette en marche et remonte la piste jusqu'au journal intime de la crypte qui vous a conduite tout droit vers l'île. Là où je voulais vous avoir pour moi, et moi seul.

— J'aurais pu ne jamais trouver la crypte.

— C'est pour cette raison que j'ai fait avaler la clé à votre père et que j'étais là pour vous remettre sur le chemin quand vous patiniez un peu ou que vous suiviez une piste qui vous en éloignait, comme chez cette vieille folle de la forêt avec son chien.

Effectivement, Adrian avait tenté de la dissuader d'approfondir cette recherche. Tout comme Sarah comprit pourquoi Adrian avait soi-disant eu une intuition remarquable en lui conseillant d'aller chercher les secrets d'André Vassili sur l'île du manoir. Tout simplement parce qu'il connaissait déjà l'endroit où la lettre était cachée. La duperie avait été totale.

— Mais comment avez-vous réussi à intégrer la police et à être affecté à l'enquête sur la mort de mon père ?

— Stefen n'a pas eu le choix lorsque j'ai fait prendre sa femme en otage. Ici, en Russie, la richesse côtoie souvent les bons services de la mafia… et trouver des hommes de main prêts à enlever et à surveiller une jolie jeune femme pour quelques milliers d'euros n'a pas été compliqué.

Sarah n'arrivait pas à croire ce qu'elle entendait.

— Stefen savait que vous étiez l'assassin de mon père et que vous comptiez vous en prendre à moi ?

— Vous ne l'avez pas trouvé un peu tendu ou différent depuis qu'il est venu vous chercher à la prison ?

Sarah se souvint que Stefen avait rapidement évincé la discussion autour de sa femme, mais elle n'avait pas cherché à en savoir plus.

— Oui. Désolé, Sarah. Stefen vous a préféré le nouvel amour de sa vie …

Adrian soupira.

— Alors, comment vous sentez-vous maintenant que vous connaissez toute la vérité ?

Sarah se laissa un temps de réflexion et reprit.

— Avec un esprit détraqué comme le vôtre, je peux comprendre que vous voyiez en mon père un coupable. En revanche, je n'ai rien fait à votre père et à vous non plus. Pourquoi vous en prendre à moi ?

— Parce qu'il n'est pas question que la fille du meurtrier de ma grand-mère échappe à la souffrance alors que j'ai dû porter celle de mon père pendant toutes ces années !

— Et après vous comptez vous en prendre à ma sœur ?

— Non. Mon père n'a eu qu'un fils, et la vengeance se doit d'être équilibrée. Œil pour œil, dent pour dent. Rien de plus.

— Si cela peut vous faire du bien, j'ai eu ma dose de souffrance dans la vie. J'ai déjà payé ma dette…

— Ce n'est rien par rapport au sentiment d'humiliation et de mépris qui a hanté la moitié de mon existence ! Vous avez, par exemple, pu envisager une vie de couple. Moi, jamais ! Parce que mon père m'a transmis des tourments bien pires que les vôtres…

— Votre père vous a transmis *ses* tourments ? Mais de quoi parlez-vous ?

Adrian considéra Sarah d'un œil surpris.

— Vous n'avez jamais entendu parler de l'épi-génétique, inspectrice ?

Sarah avait déjà entendu ce mot quelque part.

— Expliquez-moi, répondit-elle.

Adrian prit un air réprobateur.

— C'est la clé de tout, inspectrice. C'est ce qui explique la transmission des souffrances dans les familles du monde entier et la déliquescence de notre espèce. C'est un fléau, mais qui peut devenir remède. À condition que vengeance soit faite.

— Si je comprends bien, vous croyez que la vengeance va vous aider à être plus heureux ? lança Sarah en regardant Adrian avec une pitié mêlée de mépris. Vous vous prétendez fort, mais vous préférez la vengeance facile et stérile à l'effort du pardon.

Adrian sourit.

— C'est tout l'inverse… Pardonner est la vengeance des faibles. Ceux qui n'ont pas le courage d'affronter leur adversaire et préfèrent être humiliés plutôt que de vivre debout.

— Et pourtant, le pardon vous libérerait.

— Personne ne va mieux après avoir pardonné ! Personne ! Et vous savez pourquoi ? Parce que ce n'est pas dans notre nature profonde. Le pardon n'existe pas en nous. C'est un pur concept intellectuel déconnecté de ce qu'est réellement l'humain. La vengeance est euphorisante, source de puissance, de vie. Le pardon, c'est l'enterrement de notre amour-propre, c'est la soumission. Et aucun humain sain ne veut vivre soumis.

— Vous dites cela parce que vous êtes tout simplement incapable de…

— Je dis cela parce que je ne me mens pas, Sarah Geringën ! Celui qui pardonne s'efforce de croire qu'il va mieux, parce que la société le glorifie dans son renoncement. Elle en fait un saint, un être méritant, un modèle de sagesse. Mais au fond de lui, la colère empêchée gronde et le crime dont il a été victime recommence toutes les nuits.

— Vous oubliez la justice, le droit qui…

— La justice ? s'exclama Adrian. Depuis quand la justice se soucie-t-elle du bien-être des victimes ? La justice punit le coupable, mais quelle énergie insuffle-t-elle à la victime pour lui permettre de revivre ? Aucune !

Sarah était troublée par les paroles d'Adrian. Elle s'en voulait de leur trouver un écho à des questions qui avaient souvent occupé ses pensées. Elle s'en voulait encore plus de ne pas parvenir à cacher à son bourreau qu'elle était perturbée par ce qu'il venait de lui dire.

— Votre transfert prend effet ce soir, assena Adrian.

Et il se dirigea vers la porte.

— Vous pensez donc aider les victimes à se venger dans cette mascarade de Nazino, avança Sarah, mais vous n'en faites que des monstres qui vivront hantés par leurs crimes pour le restant de leurs jours.

— Et pourtant, madame Geringën, l'analyse de l'épigénome de mes disciples après vengeance prouve sans conteste qu'ils sont sur la voie de la guérison. La science me donne raison. Tellement raison. Et c'est pour cela que ma correction vous concernant ne s'arrêtera pas à ce que vous avez vécu là-bas.

Adrian claqua la porte derrière lui et le verrou s'enclencha.

Sarah faillit se précipiter contre le battant pour implorer Adrian de lui dire ce qu'il allait faire d'elle. Mais son honneur l'emporta et elle renonça à offrir à son bourreau la satisfaction de la supplication.

44

Quelques minutes après le départ d'Adrian, deux gardes firent irruption dans la chambre de Sarah. On lui couvrit le visage d'un masque occultant et les oreilles d'un casque hermétique au bruit avant de l'allonger et de l'attacher sur un brancard.

Elle estima que le transfert vers sa nouvelle cellule avait duré cinq minutes.

On la porta jusqu'à un lit et, quand on lui retira le casque et le masque, elle découvrit une pièce blanche, nue, sans fenêtres, avec un cabinet de toilette séparé par une simple cloison.

Les deux gardes quittèrent les lieux sans un mot et verrouillèrent la porte derrière eux comme un point final aux espoirs d'évasion de Sarah.

Elle palpa sa cicatrice au sein, massa son ventre encore douloureux et sonda ses dernières résistances, ses ultimes raisons de vivre. D'abord, ce fut le néant, le vide. Puis, comme émergeant de la nuit, une petite lumière brilla. Furtivement, mais si fort qu'elle laissa une empreinte en elle. Celle d'un bonheur derrière lequel se dessinait l'image de Christopher.

Bouleversée, Sarah ferma les yeux et se recroquevilla en chien de fusil sur son lit. Elle s'accrocha obstinément à cette pensée avant que l'épuisement ne gagne son corps et son esprit. À son réveil, elle avait abouti à une conclusion. Pour espérer s'échapper, elle devait reprendre des forces et attendre que ses plaies soient solidement cicatrisées. Si Adrian lui en laissait le temps.

Dès lors s'installa une routine à laquelle Sarah décida de se plier sans mot dire. Une nouvelle infirmière, tout aussi mutique que la première, venait lui rendre visite quotidiennement, juste avant le dîner. Sarah accepta les cachets anti-inflammatoires qu'on lui donnait, se prêta à tous les soins et cessa de poser des questions. Elle se contentait d'observer les détails : la démarche de l'infirmière, l'endroit où elle rangeait son badge, les produits disposés sur son chariot. Et petit à petit, un plan s'élabora dans sa tête. Un plan hasardeux, quasi suicidaire.

Au bout de sept jours, Sarah remarqua que les gardes ne se postaient plus devant sa porte lorsque l'infirmière passait dans sa cellule. Ses douleurs au sein s'estompaient, ses cicatrices s'étaient bien formées et ses muscles étaient moins rigides, peut-être grâce aux exercices d'assouplissement et de musculation qu'elle s'appliquait à exécuter.

Jamais Adrian ne venait la voir et elle demeurait dans la cruelle incertitude quant au jour où sonnerait l'heure de la vengeance.

Sept autres jours passèrent et, un matin, Sarah sentit qu'elle avait recouvré toutes ses facultés.

Les sens aux aguets, elle prit une douche froide, avala un petit déjeuner frugal et consacra sa journée à se préparer mentalement à ce qu'elle allait tenter le soir même.

45

Comme chaque soir, la porte de sa chambre s'ouvrit et la jeune infirmière entra en poussant son chariot en inox. Sarah écarta ses couvertures avec lenteur, s'assit en se tenant la poitrine et retira son tee-shirt. L'infirmière enchaîna ses gestes habituels. Elle passa le stéthoscope autour de ses oreilles avant d'en poser l'extrémité froide sur le cœur de Sarah et l'ausculta en silence. Elle fixa le brassard à scratch pour prendre sa tension, puis actionna la pompe à air et la laissa se dégonfler en contrôlant sa montre.

— 16/10, murmura l'infirmière. C'est élevé…

— J'ai très envie d'aller aux toilettes, dit Sarah, les mains moites. Ça me stresse…

— Allez-y.

Elle se leva. Sa respiration était malaisée. Mais l'heure n'était plus à l'hésitation. Elle bondit sur l'infirmière, lui saisit le cou d'un bras en lui plaquant une main sur la bouche et se coucha sur le dos, entraînant sa victime avec elle. Elle lui comprima la carotide. L'infirmière se débattit, suffoqua, lutta. Et soudain son corps se relâcha.

Sarah la repoussa et fouilla dans sa poche pour lui prendre le badge électronique. Puis elle la déshabilla et enfila ses vêtements. Elle retourna dans la salle de bains et ajusta la coiffe blanche sur son crâne en la nouant fermement derrière sa nuque pour qu'aucune mèche rousse n'en dépasse.

Elle s'examina un instant dans le miroir. Si le centre comptait autant de personnel qu'elle en avait vu par la fenêtre de sa première chambre, elle pourrait passer inaperçue. Pour parfaire son camouflage, elle plaça un masque chirurgical sur son visage. Elle tira le corps de l'infirmière jusqu'à son lit et le glissa sous les couvertures, qu'elle prit soin de faire remonter jusqu'à sur sa tête. Elle s'empara du chariot en inox et se posta devant la porte. La toile bleutée de son masque se gonflait et se rétractait au rythme bien trop rapide de sa respiration. Elle tâta une nouvelle fois sa coiffe pour s'assurer qu'elle tenait bien.

Et, le ventre vrillé par la peur, elle sortit de sa chambre.

46

Le corridor dans lequel Sarah déboucha était désert. Elle avança, courbée au-dessus de son chariot, faisant glisser ses pas en silence sur le linoléum. Au bout du couloir, elle obliqua vers la gauche en direction d'un ascenseur, et sursauta quand une porte s'ouvrit devant elle. Un homme et une femme en blouse sortaient d'une pièce. Sarah s'agenouilla pour chercher un produit dans son chariot. Les deux employés du centre ne prêtaient pas attention à elle et discutaient ensemble en anglais.

— … Ça a vraiment l'air de marcher, la méthylation sur le gène NR3C1 est en passe d'être rétablie sur trois des sujets.

— Et les deux autres ?

Sarah n'entendit pas la suite. Les deux individus l'avaient dépassée et s'éloignaient.

Sarah se pressa vers l'ascenseur, regardant droit devant elle. Elle appuya sur le bouton d'appel. Après quelques secondes, elle pressa de nouveau le bouton, les lèvres pincées, le cœur battant à tout rompre.

Elle glissait un regard inquiet derrière elle quand un carillon retentit. Au même moment, le battant d'une porte du couloir s'ouvrit à la volée.

— S'il vous plaît ! interpella une voix en anglais.

Sarah fit mine de ne pas avoir entendu. Elle entra tête baissée dans l'ascenseur et enfonça brutalement le bouton du rez-de-chaussée. Le portillon coulissa.

— Attendez !

Un pied fit irruption dans la cabine. Le cœur de Sarah sauta un battement. Les portes se rouvrirent.

— Il a fait un malaise…, lança une femme qui soutenait un homme plus jeune qu'elle.

Prise au dépourvu, Sarah mit un peu de temps à réagir.

— Aidez-moi ! Vous voyez bien que j'ai du mal.

Elle soutint le jeune homme et le tira à l'intérieur. Il était conscient, mais avait des difficultés à marcher. Les portes se refermèrent automatiquement pour rejoindre le rez-de-chaussée.

— Il n'a pas supporté la prise de sang.

Sarah hocha la tête.

— Vous voulez bien m'aider à le conduire à l'infirmerie ? Je ne vais pas y arriver toute seule.

Sarah avait chaud. Des gouttes de sueur perlaient dans son dos. Elle ne savait pas où se situait l'infirmerie, et chaque seconde qu'elle passait dans le centre augmentait le risque d'être démasquée. Il lui fallait très vite imaginer une issue de secours.

L'ascenseur s'immobilisa avec une légère secousse. Les portes s'écartèrent pour dévoiler un hall où marchaient quelques individus en blouse blanche, mais

Sarah focalisa son attention sur la grande porte qui semblait mener vers l'extérieur du bâtiment.

— Par où doit-on aller, déjà ? demanda la femme d'un ton pressé.

Sarah avait la bouche sèche. Le bras de l'homme autour de son cou collait à sa peau.

— Qu'est-ce qui vous arrive ? Pourquoi vous ne répondez pas ? s'agaça son interlocutrice en cherchant le regard de Sarah. Vous êtes bizarre.

À cet instant, Sarah sut que c'était sa dernière chance de s'en sortir.

— Je suis en charge des soins de Sarah Geringën, sous les ordres directs du Correcteur. Et je n'ai pas le temps ni l'autorisation de m'occuper de qui que ce soit d'autre. J'en suis désolée.

— Ah… bien… le Correcteur, dites-vous. Oui, je comprends.

Sarah se délesta du poids du jeune homme affaibli et s'empressa de traverser l'espace qui la séparait de la porte principale. Du coin de l'œil, elle remarqua que quelqu'un l'observait, mais fit comme si elle ne s'en était pas aperçue.

— Hey !

Sarah se figea. Pas maintenant, se dit-elle. Pas si près du but.

Des pas approchèrent dans son dos.

— Hey… tu vas où comme ça ? demanda quelqu'un en anglais.

Sarah se retourna.

— Pourquoi ?

— C'est la nuit, et il fait - 12 °C dehors. Tu vas mourir de froid.

L'homme fixait son masque chirurgical avec étonnement.

— C'est comme ça que je me suis enrhumée hier, mentit-elle en désignant son masque. Je viens de France et, là-bas, on n'a pas ces températures. Quelle idiote. Merci !

— Moi, je suis russe, alors fais-moi confiance. Porte-toi bien.

Sarah salua l'homme d'un signe de tête et s'éloigna, tout en s'assurant qu'elle n'était plus épiée.

Quand elle eut franchi les portes, le spectacle qui s'offrait à ses yeux la surprit tellement qu'elle s'arrêta. Devant elle se déployait un petit village, avec des maisons en bois et des terrasses éclairées par des lampions qui dominaient des jardinets entourés de barrières. Des allées de lumière serpentaient entre les maisons à la façon de chemins féeriques et des ombres paisibles se découpaient dans les embrasures des fenêtres aux lueurs chaleureuses. Une brise glaciale soufflait et porta jusqu'à ses oreilles l'écho de discussions enjouées et de rires.

Sarah savait qu'elle ne résisterait pas longtemps dans ce froid. Elle abandonna le chariot derrière des sapins, s'empara du scalpel et s'engagea d'un pas vif dans l'une des allées pour repérer la sortie du centre et un véhicule. Il n'était pas envisageable qu'elle se lance dans les plaines glaciales de Sibérie à pied.

Après avoir dépassé plusieurs maisons, elle reconnut le bâtiment en verre qu'elle avait aperçu de la fenêtre de sa chambre. Les phares d'une voiture cinglèrent la nuit en direction de l'édifice et s'enfoncèrent vers ce qui devait être un parking souterrain. C'est là-bas qu'elle avait une chance de trouver un moyen pour s'enfuir.

Elle s'empressa de suivre cette direction quand une bourrasque commença à ronfler au loin. Une tempête ? Le son enfla et ne laissa plus de place au doute : ce n'était pas une tempête, mais le bruit d'un hélicoptère. Un très gros hélicoptère. De ceux qui transportent les troupes dans les conflits armés.

Des spots embrasèrent les quatre coins du village. Sarah se plaqua au sol et roula sous un fourré bordant le chemin. Les puissants rotors soulevaient des tourbillons de neige et couchaient les arbustes dans un vacarme assourdissant. Si Sarah restait là, on allait forcément la découvrir.

Elle sortit de sa cachette dans l'espoir de rejoindre directement le parking, mais un groupe d'individus en sortait. Elle dut bifurquer et se pressa de marcher vers l'entrée du bâtiment en verre.

Elle présenta son badge devant le capteur d'ouverture et la porte se déverrouilla. Entrée en trombe dans un hall d'accueil, elle fonça droit devant et déboucha dans un spacieux amphithéâtre. Devant elle s'alignaient des rangées de fauteuils bordeaux et une scène surélevée.

Que se passait-il ici ? Sarah n'eut guère le temps de réfléchir. Les voix se rapprochaient dans son dos et toutes les lumières de la salle s'allumèrent.

Terrifiée, Sarah repéra à quelques mètres d'elle la porte des toilettes. Elle s'y engouffra le temps que les bribes de conversations et les bruits de pas s'estompent. Dès que le silence s'installa, elle entrouvrit la porte et jeta un coup d'œil à la grande salle.

Une vingtaine de personnes avaient pris place. Qui étaient-elles ? Que venaient-elles faire ici ?

Sarah espérait profiter de ce que tout le monde lui tournait le dos pour s'enfoncer un peu plus loin dans le bâtiment et trouver l'accès au parking, mais des hommes montaient la garde devant les deux issues. Et même s'ils pouvaient la considérer comme une employée du centre, elle était à peu près certaine qu'elle n'avait rien à faire dans cette salle à cet instant. Le risque d'être démasquée était trop grand. Elle devait attendre qu'ils se retirent.

Les lumières de la salle se tamisèrent et seule la scène demeura éclairée. Vêtu d'un costume, Adrian entra, la démarche sûre. Après qu'il eut ménagé un silence solennel, sa voix retentit dans les haut-parleurs et son visage s'afficha sur un écran géant.

— Mesdames et messieurs les investisseurs.

Il fit une pause.

— Ce que vous allez entendre et voir ce soir fait partie des secrets les mieux gardés de la planète. Nul doute qu'au terme de cette conférence vous mesurerez la responsabilité qui est la vôtre dans le futur de l'humanité.

Adrian considéra l'auditoire. D'une voix profonde, il déclara :

— Une épidémie silencieuse est en train de nous tuer. Une épidémie dont les victimes sont en nombre croissant. Cette épidémie, ce n'est ni le cancer, ni la peste, ni la tuberculose, ni le diabète. Cette épidémie, c'est la dépression.

Sarah remarqua la flamme qui grandit dans son regard.

— Selon l'Organisation mondiale de la santé, la dépression est la première cause d'incapacité dans le monde. Chaque année, huit cent mille personnes meurent en se suicidant. Et d'ici à 2020, la dépression devrait devenir la deuxième cause de mortalité mondiale, derrière les crises cardiaques et devant toutes les autres maladies. C'est du jamais vu dans l'histoire.

Adrian prit une longue inspiration et poursuivit :

— On estime que la dépression touche trois cents millions de personnes dans le monde. Dans tous les pays développés, les dépenses pour la santé mentale ont plus que doublé ces dix dernières années. L'humanité va mal. Elle est en train de se laisser mourir. Nous assistons à la disparition de notre espèce. Non parce qu'elle est attaquée par une autre, mais parce qu'elle n'a plus la force de vivre.

Comme pour lui répondre, la salle frémit de quelques chuchotements.

— Que se passe-t-il ? reprit Adrian. Pourquoi ? Pourquoi l'humanité est-elle gagnée par cette épidémie de dépression et de souffrance mentale, alors que les conditions de vie s'améliorent et que l'espérance de vie augmente ?

Adrian attendit que l'écho de sa voix retombe avant de reprendre :

— En réalité, l'explication est simple. Terrifiante pour notre avenir, mais simple. Elle se trouve dans l'une des dernières et révolutionnaires découvertes biologiques : l'épigénétique.

Adrian leva un doigt, comme un prêtre appellerait ses fidèles à être attentifs à son sermon.

— Vous savez tous que chacun d'entre nous a un code génétique. Ce code nous est transmis par nos parents et ne bouge plus une fois fixé dans l'embryon.

L'amphithéâtre frémit d'une approbation commune.

— Jusqu'à présent, on pensait que notre génome était définitif et figé à vie. Or ce que l'on vient de découvrir, c'est que, si les gènes ne changent pas, leur expression dans notre corps peut varier. Un peu comme un bouton de volume sur un appareil musical. Le gène, c'est la note de musique, elle est immuable ; et l'épigénétique, c'est la science qui étudie la puissance avec laquelle la note est jouée, du silence à l'assourdissement. Supposons que deux individus aient un gène qui favorise le diabète. Si l'on a cru longtemps qu'ils avaient les mêmes risques de développer la maladie, qu'ils étaient tous les deux condamnés par leur ADN, aujourd'hui on sait que tout dépendra de la qualité de vie de chacun. Une vie saine, heureuse, où la personne est épanouie et bien entourée va endormir le gène du diabète. Celle qui ne fera pas de sport, qui sera en permanence frustrée ou en conflit verra le volume d'expression du gène du diabète augmenter.

Les membres de l'assistance échangèrent quelques mots. Dans sa cachette, le souffle court, Sarah guettait le moindre bruit, prête à bondir sur le premier intrus.

— Mais cette découverte prend une dimension civilisationnelle grâce aux travaux d'Emma Whitelaw. Cette chercheuse australienne en biologie moléculaire a découvert que cette modulation du gène se retrouve dans les spermatozoïdes et dans les ovocytes. Autrement dit, qu'elle est transmissible ! Nos ancêtres nous transmettent leurs gènes, mais aussi l'expression de leurs gènes. C'est ainsi que l'on parle de traumatisme héréditaire. Un enfant dont la mère ou le père a vécu un traumatisme qui a bouleversé la méthylation d'un de ses gènes en verra la trace dans son propre ADN, alors qu'il n'a pas vécu lui-même ce traumatisme. L'épigénétique prouve sans équivoque que si une personne a été victime d'une violence qui a fait naître chez elle une angoisse indélébile, ses enfants et sa descendance arriveront au monde avec cette angoisse, même s'ils ignorent le traumatisme qu'a subi leur ancêtre ! Ils en auront la marque épigénétique. Et cette trace va se transmettre de génération en génération ! Une transmission que l'on a retrouvée chez les descendants des survivants de l'holocauste : leurs enfants et petits-enfants portaient tous des modifications démesurées du gène NR3C1 gérant l'anxiété. La même observation a été faite chez les enfants de femmes qui étaient enceintes lors des attentats du 11-Septembre. Bref, la science a prouvé ce que la psychogénéalogie pressentait : nous transportons dans notre corps l'histoire de nos ancêtres, même si nous ne la connaissons pas.

Sarah avait entendu les derniers mots d'Adrian, mais, trop stressée pour se concentrer, elle ne les avait pas écoutés. Et lorsqu'un brouhaha se fit entendre dans l'assistance, elle comprit qu'il venait de faire une révélation importante.

— Imaginez ce que cela signifie pour notre espèce, s'exalta Adrian. Ne serait-ce qu'en Europe, nous sommes tous les descendants d'ancêtres qui ont connu et vécu les traumatismes de deux guerres mondiales ! Deux guerres mondiales sont inscrites dans notre épigénome. Au sein des familles, les traces de ces deux apocalypses subsistent et continuent à se transmettre. Il en va de même des crimes du communisme, des génocides au Rwanda ou en Yougoslavie. Et l'on peut remonter plus loin encore. Que dire des Français qui ont connu la Terreur de la Révolution française ? Imaginez les modifications épigénétiques de ceux qui ont survécu à ces massacres. Imaginez les traumatismes qu'ils ont légués bien malgré eux à leur descendance et que cette descendance a transmis à son tour à ses enfants, et ainsi de suite. Nous tous vivant sur cette Terre, nous ne sommes que l'accumulation des traumas de nos ancêtres, et la génération suivante sera encore plus atteinte et dégénérée que la nôtre.

Adrian reprit son souffle et avala une nouvelle gorgée d'eau. Sarah brûlait d'impatience. Il fallait qu'elle rejoigne le parking au plus vite. Et pour cela, elle n'avait d'autre choix que de neutraliser la surveillance des gardes. Elle avisa un dérouleur d'essuie-main en tissu. À l'aide de son scalpel, elle le découpa en deux et commença à le dérouler lentement, sans faire de bruit. La voix d'Adrian continuait de lui parvenir, depuis la salle de conférence.

— Pendant des millénaires, notre épigénome d'*Homo sapiens* est parvenu à équilibrer les héritages et les blessures. Mais l'explosion inédite des dépressions révèle une terrible vérité : notre nature a atteint les limites de sa résilience. L'accumulation des tragédies à grande échelle sur une longue période a détraqué l'épigénome humain au point qu'il ne parvient plus à retrouver son équilibre. Si nous n'aidons pas nos corps et nos esprits à corriger nos épigénomes, nous signons la fin de notre espèce. D'ici à deux ou trois générations, nous serons rayés de la surface de la Terre.

Sarah acheva la découpe de son bandeau de tissu. Elle enroula les extrémités sur chacun de ses poings et tira fermement pour tendre la bande. Puis elle entrouvrit la porte des toilettes alors qu'Adrian semblait sur le point de faire une révélation.

— Et pourtant, il existe une solution pour éviter cette catastrophe, lança-t-il fièrement. Comme j'ai commencé à vous le dire, les chercheurs en épigénétique ont prouvé que notre épigénome pouvait aussi se modifier dans le bon sens au cours de notre vie. Notre corps et notre esprit sont capables de corriger les traumatismes dont ils ont hérité. À condition que les variables de bien-être soient toutes positives : alimentation saine, activité physique régulière, environnement de vie agréable, activité professionnelle épanouissante, entourage familial et amical heureux et, par-dessus tout, estime de soi. Lorsque tous ces critères sont réunis, on observe une correction de l'expression des gènes de notre ADN. Et c'est ici, dans ce centre expérimental et nulle part ailleurs, qu'avec l'accord et le soutien du gouvernement russe nous avons d'ores et déjà commencé à façonner les épigénomes qui sauveront l'espèce humaine.

Sarah profita du murmure d'impatience pour faire claquer la porte des toilettes, afin que seul le garde posté à l'arrière de la salle l'entende. Puis elle se replia à l'intérieur, prête.

Le sang bourdonnait à ses oreilles et désormais les paroles d'Adrian lui parvenaient diffuses.

— Ici, nous produisons des gamètes masculins et féminins de très haute qualité épigénétique et dont les traumatismes ont été gommés. Comment ? En faisant suivre aux donneurs du village un programme qui assure un équilibre parfait de la régulation des gènes.

À cet instant, la porte des toilettes s'ouvrit lentement. Cachée derrière le battant, Sarah banda ses muscles, le cœur palpitant. Une large silhouette entra avec prudence. À peine l'homme avait-il franchi le seuil que Sarah le surprit par-derrière. Elle lui plaqua le bandeau de tissu sur la bouche, et le frappa d'un coup de pied derrière les genoux pour le faire basculer en arrière. Sa chute fut si brutale que son crâne frappa le carrelage dans un bruit mat tandis qu'une flaque de sang se répandait sous ses cheveux.

Reprenant sa respiration, Sarah abandonna le bandeau de tissu et regarda par l'embrasure de la porte. Personne ne semblait avoir entendu la chute du garde. Sur l'estrade, Adrian était rayonnant.

— À une époque où la demande de gamètes n'a jamais été aussi élevée, notamment depuis la légalisation de la PMA. À une époque où la fertilité décroît de façon alarmante. À une époque où l'humanité se meurt dans la dégénérescence mentale, notre centre vous offre les fondateurs d'une nouvelle espèce humaine corrigée.

Sarah empoigna son scalpel et s'apprêtait à sortir lorsque la porte s'ouvrit avec fracas. Le deuxième garde n'eut pas le temps de crier. Elle lui décocha un coup sec sur la pomme d'Adam pour neutraliser ses cordes vocales. Plus résistant que prévu, l'homme dégaina quelque chose à sa ceinture. Sarah ne vit que trop tard l'éclat de la lame du couteau. Elle dévia l'attaque vers le sol. La pointe métallique frôla son abdomen pour se planter dans la chair de sa cuisse.

Elle répliqua en un éclair, et l'homme n'eut pas le temps de contrer la lame du scalpel qui lui trancha la gorge. Sarah amortit la chute de sa victime en le soutenant par les épaules.

Dans l'amphithéâtre, la voix d'Adrian s'envola.

— Nous détenons et vous pouvez détenir à votre tour les clés de l'humanité 2.0 avec les premiers gamètes à l'épigénome corrigé !

Le visage déformé par la douleur, Sarah s'adossa au mur, regardant la profonde entaille dans sa cuisse. Elle saisit le torchon et serra le tissu autour de sa jambe en écrasant un cri de douleur dans le creux de son bras. Et à l'instant où elle se laissait glisser à terre, épuisée, le talkie-walkie du garde crépita sous le hurlement d'une sirène.

— Alerte à tous les membres de la sécurité. Fuite de l'élément Geringën. Possiblement sous l'apparence de l'infirmière Stella Vorsow. Individu dangereux à maîtriser de toute urgence.

– 48 –

Depuis les toilettes, Sarah entendit des clameurs de protestations et d'invectives se mêler au hurlement de la sirène. Au micro, Adrian invita l'assemblée à garder son calme et à se diriger vers la sortie du bâtiment.

Une lame de feu lui transperçant la cuisse, Sarah s'agenouilla près du garde qu'elle venait de neutraliser et lui arracha sa radio. Elle ramassa le couteau encore ruisselant de sang, se releva et entrouvrit la porte.

Un homme de grande taille aux cheveux grisonnants passa juste devant d'un pas pressé. Suivirent deux autres investisseurs dans une hâte angoissée, et enfin la voie sembla libre : il ne restait plus personne dans la salle. Sarah longea le mur en direction de l'issue à proximité de la scène. Mais sa jambe lui faisait si mal qu'elle dut s'arrêter.

La radio du garde qu'elle portait à la taille grésilla.

— Avis aux unités de sécurité. Le pass de l'infirmière Stella Vorsow a été utilisé pour accéder au centre de conférence. La cible s'y trouve peut-être encore.

Sarah serra les poings et boita jusqu'à la porte. Elle venait tout juste de l'entrouvrir quand les battants de celle à l'autre extrémité de l'amphithéâtre s'écartèrent. Les faisceaux lumineux de lampes de fusils d'assaut surgirent de l'ombre et deux membres de la sécurité s'introduisirent dans la salle.

Sarah venait d'entrer dans un couloir au bout duquel elle entrevoyait un ascenseur. Elle marcha aussi vite que sa blessure le lui permettait et enfonça le bouton d'appel. Les portillons s'ouvrirent immédiatement. Elle se jeta à l'intérieur et appuya sur le seul bouton d'étage disponible, indiquant 0. À peine les portes se refermaient-elles qu'une balle fit voler en éclats le miroir à côté de sa tête. Dans un vacarme assourdissant où se mêlaient l'écho du coup de feu, la sirène et les débris de verre, une botte se cala entre les portillons.

Sarah dégaina son couteau et se laissa tomber à genoux pour le planter dans le pied du militaire. L'homme hurla en retirant sa jambe tandis que le portillon claquait et que la cabine amorçait sa descente.

Sarah n'eut pas le temps de souffler : elle était déjà arrivée. Elle retira sa blouse et la cala entre les portes de l'ascenseur pour empêcher qu'elles se referment. Vêtue d'un simple débardeur blanc, la main droite crispée sur sa cuisse, elle claudiqua et ouvrit la seule porte du couloir en face d'elle pour déboucher enfin sur le parking.

— Vous n'allez nulle part, Sarah.

Adrian lui barrait le chemin, un pistolet pointé vers elle.

Sarah avait déjà vécu ce type de situation. Le secret était de réagir immédiatement. Elle happa le canon de l'arme et tordit le poignet d'Adrian.

Mais l'appui de sa jambe blessée la trahit. Elle perdit l'équilibre, et chercha à entraîner Adrian dans sa chute. Au même moment, deux militaires faisaient irruption dans le parking.

— Elle attaque le Correcteur ! Feu ! cria l'un d'eux.

— Ne la tuez p… ! hurla Adrian.

Trois coups éclatèrent et Sarah s'écroula au sol.

Adrian tituba jusqu'à un mur et se laissa glisser à terre, une main serrant son pistolet, l'autre sur sa poitrine rouge de sang. Les deux militaires étaient renversés sur le dos, chacun une balle dans la tête. Sarah se releva, indemne. Pourquoi Adrian avait-il tiré sur ses propres membres de la sécurité ? Sarah se traîna jusqu'à lui et s'empara de son pistolet.

— Le parking est derrière la porte. Prenez ça, balbutia-t-il en lui tendant ses clés de voiture.

Sarah le dévisagea, incrédule.

— Pourquoi m'aidez-vous ?

Le regard bleu de celui qui avait été le meurtrier de son père et son bourreau la fixait de ses orbites désormais sans vie.

En proie à la plus grande des confusions, Sarah n'entendit pas tout de suite les bruits de bottes.

Elle ouvrit la porte du parking, appuya sur la clé électronique et repéra rapidement les clignotants d'un 4 × 4. L'appui sur sa jambe blessée était insoutenable. Il lui fallut un temps considérable pour atteindre le véhicule. Elle se hissa à l'intérieur, démarra et enfonça la pédale d'accélération. Le puissant engin partit en trombe. Sarah percuta deux gardes, prit un virage serré et gagna la rampe de sortie dans un crissement de pneus.

Le véhicule noir jaillit à l'air libre et parvint à franchir le portail d'entrée sur le point de se refermer. Reconnaissant la voiture du Correcteur, les gardes n'osèrent pas ouvrir le feu. Mais, une poignée de secondes plus tard, une rafale fit éclater les vitres arrière. Le vent glacial s'engouffra dans l'habitacle. Aveuglée par le courant d'air sibérien, Sarah braqua à gauche puis à droite pour compliquer la visée des tireurs. Une déferlante de balles perça la piste sur son flanc. Les éclats de terre et de cailloux percutèrent la carrosserie dans un vacarme tétanisant. Le pied écrasé au plancher, Sarah gagna du terrain à une folle vitesse et la dernière rafale de mitraillette ne fit que frôler l'arrière de la voiture. Dans son rétroviseur, le centre s'éloignait. Bientôt, il disparut dans un virage.

Les membres de la sécurité du centre allaient forcément la prendre en chasse. Elle ne pouvait pas rester sur la piste. Elle quitta la route et fonça à travers la toundra en direction d'un massif forestier. Les herbes fouettaient le pare-chocs et les bosses du terrain sauvage cognaient dangereusement le fond de caisse.

Cramponnée au volant, bringuebalée en tous sens, Sarah finit par atteindre les bois. Elle s'y enfonça de quelques mètres, coupa le contact et attendit.

Alors que toutes ses artères palpitaient d'adrénaline, elle aperçut des traînées de lumière qui filaient sur la piste au loin. Elle patienta quelques minutes, puis, tous phares éteints, reprit sa progression à l'aveugle. Elle voulait seulement mettre le plus de distance possible entre elle et le centre. Mais pour aller où ?

50

Pourtant assoiffée et épuisée, Sarah parvint à rester éveillée et à rouler toute la nuit. Bientôt l'aube irisa le ciel et elle découvrit le décor dans lequel elle avançait prudemment. Au loin se découpaient des chaînes de montagnes séparées par de larges vallées où scintillaient des rivières. Çà et là émergeaient des roches plates couvertes de lichen, tandis que quelques sapins veillaient à la façon de sentinelles.

Éblouie par les premiers rayons du soleil, Sarah sentit sa chaleur se propager sur sa peau transie et roula jusqu'au bord d'une rivière infranchissable. Impétueux, le torrent éclaboussait les rochers saillants. Elle descendit sur la rive, but à grandes gorgées et enleva son pantalon blanc d'infirmière pour nettoyer à l'eau pure la plaie de sa cuisse avant de refixer son bandage de fortune.

Lorsqu'elle voulut regagner son véhicule, son corps refusa de bouger. Elle était à bout de forces. Comme anesthésiée, elle contempla les tourbillons de la rivière : un chaos incontrôlable contre lequel n'importe quel être humain, si fort soit-il, finirait par s'épuiser et se noyer. Cette rive léchée par les embruns du torrent n'était pas le pire endroit pour mourir, se dit-elle. Elle n'avait aucun effort à fournir. Que les hommes d'Adrian la retrouvent, que la soif et la faim aient raison d'elle, que la gangrène ronge son corps ou que les loups viennent la dévorer, la nature accomplirait son œuvre. Elle n'aurait plus à se battre.

Le désespoir l'enveloppa et la poussa de ses griffes vers la terre qui attendait son dû.

Le froid l'envahit, ses muscles se relâchèrent et son âme renonça. Sa route se terminait ici.

Et c'est là, au seuil de la mort, dans son ultime examen de conscience, qu'elle sonda son cœur.

D'abord, ce ne furent que tristesse et regrets. Mais, petit à petit, de la façon la plus étrange qui soit, il lui sembla que quelque chose de fondamental avait changé en elle. Attentive, s'approchant de cette fragile émotion comme une chasseuse craignant de faire fuir sa proie, elle écouta le filet de voix qui essayait de s'imposer en elle. Son cerveau lui restituait les paroles du discours d'Adrian qu'elle avait distraitement entendues :

« L'épigénétique prouve sans équivoque que si une personne a été victime d'une violence qui a fait naître chez elle une angoisse indélébile, ses enfants et sa descendance arriveront au monde avec cette angoisse, même s'ils ignorent le traumatisme qu'a subi leur ancêtre ! Ils en auront la marque épigénétique. »

Un espoir fou éclata en elle : et si les angoisses qui détruisaient sa vie n'étaient pas les siennes ? Et si son père lui avait transmis les marques traumatiques de sa propre culpabilité ? L'hypothèse était porteuse d'une telle promesse de libération que Sarah se refusa à y croire tant qu'elle n'aurait pas vérifié biologiquement que les traces génétiques de ce traumatisme se retrouvaient bien chez elle. Et pour cela, elle devait vivre.

Animée par une nouvelle énergie, elle se redressa. Combien de temps tiendrait-elle encore debout, elle n'en savait rien. Il fallait faire vite.

Elle remonta jusqu'au 4 × 4 et réussit à se hisser tant bien que mal sur le toit à la recherche d'un endroit où traverser ce torrent. Lorsqu'elle finit par apercevoir ce qui ressemblait à un pont de fortune, elle dut se rendre à l'évidence : elle ne pouvait s'y aventurer en voiture. Elle clopina jusqu'à l'étroit pont branlant. Les planches mal ajustées étaient léchées par l'écume du torrent. Une corde avait été tendue entre les deux côtés de la rive, et en assurant chacun de ses pas, la traversée fut un succès. Parvenue au bout du pont, elle contempla la berge opposée. Peut-être que les morts qui ressuscitaient contemplaient de la même manière le rivage du Styx qu'ils avaient quitté.

Elle boita à travers la bruyère et les herbes folles en direction de la montagne. Au loin, un cheval redressait l'encolure et l'observait, les oreilles orientées vers l'inconnue. Et derrière lui, à une centaine de mètres, elle aperçut une habitation. Haletante, les jambes cotonneuses, elle passa à côté de l'animal qui tendit son museau vers elle. Mue par une espèce de réflexe ancestral, Sarah passa sa main sur le bout de son nez. Le souffle tiède lui réchauffa la peau et le contact avec cette douce puissance lui insuffla un peu de force.

Cette ultime force dont elle eut besoin pour parcourir la centaine de mètres qui la séparait de la masure.

Elle parvint à frapper contre le pan de la porte. On ouvrit. Un homme au visage tanné par le soleil et le vent la dévisagea. Voyant Sarah se laisser glisser à terre, sa cuisse tachée de sang, il la souleva par les bras et la tira jusqu'à un lit posé dans un coin de la maison.

Pendant une journée entière, Sarah se laissa soigner et nourrir. L'homme tenta en vain de se faire comprendre. Il lui donna à boire des tisanes au goût inhabituel et l'aida à manger des légumes bouillis. Lorsqu'elle comprit qu'il se proposait de regarder sa blessure, Sarah, faisant fi de toute pudeur, retira son pantalon. L'homme fit une moue puis sortit de la maison quelques minutes. Il rentra avec dans les bras quelques tiges de plantes. Il les broya et les mélangea pour former une pâte aux émanations fleuries, qu'il appliqua sur la plaie.

Le soir même, Sarah souffrait déjà moins. L'homme l'invita à dormir et elle sombra immédiatement dans le sommeil pour ne se réveiller que le lendemain matin, alors que son hôte lui apportait à boire. Il l'aida ensuite à faire le tour de sa cabane et lui désigna une voiture. Elle comprit qu'il voulait la conduire quelque part.

L'après-midi même, Sarah débarquait avec cet homme dans un village perdu au cœur des plaines sibériennes. Il la confia à la station de police locale et repartit après que Sarah l'eut remercié en lui serrant chaleureusement les mains au creux des siennes.

L'un des policiers en service parlait quelques mots d'anglais et Sarah parvint à lui faire comprendre qu'elle devait téléphoner en Norvège. Il chercha l'indicatif et le lui écrivit sur un papier.

Une minute plus tard, elle entendit décrocher à l'autre bout du fil.

— Allô ?

— Christopher... c'est moi... j'ai besoin de ton aide.

Lorsque Sarah franchit les portes de la salle d'arrivée à l'aéroport d'Oslo, elle le repéra immédiatement parmi la foule des gens venus accueillir leurs proches. Fébrile, elle se fraya un chemin entre les voyageurs. Christopher la regardait comme un homme à qui l'on interdit d'enlacer l'amour de sa vie.

Bouleversée, Sarah le transperçait de ses yeux bleus. Sa gorge se noua et sa mâchoire trembla. Elle marcha vers lui.

— Merci, balbutia-t-elle.

Après l'appel au secours de Sarah, Christopher avait activé tous les leviers politiques et diplomatiques avec une énergie considérable pour la faire revenir au plus vite.

Il tendit sa main. Sarah avança de quelques pas boitillants et posa sa tête sur sa poitrine. Elle n'était pas encore certaine de pouvoir lui donner plus, de lui promettre une nouvelle chance pour leur couple, et il eut la force de ne rien demander. Il la tint juste entre ses bras, lui offrant sa présence rassurante.

Elle s'écarta délicatement de lui pour le regarder et ce n'est qu'en cet instant qu'elle remarqua ses yeux cernés et son visage aux traits tirés.

— Tu as l'air épuisé…, souffla-t-elle.

— Parce que tu trouves que t'as l'air en forme ? répliqua-t-il, faussement offusqué.

Sarah sourit, heureuse de constater qu'il n'avait pas changé. Elle tourna la tête pour dissimuler son trouble et les aperçut : sa mère et sa sœur, restées pudiquement en retrait pendant ces retrouvailles. Toutes les deux pleuraient. Elle s'éloigna doucement de Christopher pour les prendre dans ses bras.

La sœur de Sarah l'amena chez elle et, le soir même, leur mère et Christopher vinrent dîner. Sarah refusa de parler de tout ce qu'elle avait enduré. Elle voulait seulement profiter du miracle d'être là, vivante, entourée de sa famille. Lorsqu'elle raccompagna Christopher à la porte, elle lui promit de venir le voir dès le lendemain.

— Laisse-moi juste encore un peu de temps…, lui demanda-t-elle en prenant sa main. Embrasse Simon pour moi.

Christopher hocha la tête et s'en alla.

Le lendemain matin, elle passa voir Thobias à l'hôpital. Il l'accueillit comme sa fille. Elle lui parla de l'hypothèse épigénétique et de ce sentiment de culpabilité qui lui ruinait l'existence. Il accepta de lui prélever un peu de salive pour effectuer un diagnostic de son épigénome.

Dans la foulée, elle se rendit au commissariat pour rédiger son rapport d'enquête. Stefen l'attendait à l'entrée du bâtiment. Il semblait abattu, elle le trouva même vieilli.

— Je n'ai jamais vu une femme comme toi, commença-t-il.

Sarah ne lui facilita pas la tâche et demeura silencieuse. Prête à écouter ses explications.

— Viens, marchons un instant, dit-il en s'éloignant de l'entrée.

Sarah lui emboîta le pas.

— Je ne sais pas ce que ce monstre d'Adrian Koll t'a raconté, commença Stefen.

— Kolkov. Adrian Kolkov, c'était son vrai nom.

— Et en plus, il s'est payé le luxe de garder la moitié de son nom pour sa fausse identité. Toujours est-il qu'une semaine avant que tu ne sortes de prison, il est venu me voir. Il avait fait kidnapper Hannah, ma femme, et menaçait de la tuer si je ne lui faisais pas intégrer mon service. Je n'avais aucune idée de ses intentions à ton égard et j'étais à sa merci.

Sarah serra les mâchoires.

— Quand ton père a été assassiné la veille de ta sortie et qu'Adrian m'a ordonné de le placer à tes côtés pour l'enquête, là j'ai compris.

La voix de Stefen était étranglée. Il s'était arrêté pour regarder Sarah.

— Je suis désolé, Sarah. J'ai dû faire un choix. Le plus dur de ma vie. Et tu sais qu'en Afghanistan j'ai dû en faire de très pénibles.

Bien que meurtrie, elle tâcha de ne pas céder à la rancœur et fit l'effort de se mettre à sa place. Qu'aurait-elle fait ? Il lui sembla qu'elle aurait elle aussi choisi de sauver l'amour de sa vie.

— Pourquoi as-tu fini par m'envoyer un message pour m'avertir du danger que représentait Adrian ?

— Je ne suis pas resté les bras croisés à attendre que cette ordure continue à me faire chanter. Mes indics ont fini par m'aider à retrouver la piste des types qui retenaient Hannah en otage. Je suis intervenu avec une petite équipe d'anciens des forces spéciales et on les a coincés dans un appartement de Torhov. Dès que ma femme a été en sécurité, je t'ai prévenue. Et je me suis mis à ta recherche.

— Sauf qu'Adrian a été mis au courant en même temps que moi.

— L'un des ravisseurs a réussi à s'échapper pendant la fusillade. Il a forcément prévenu son patron qu'il était sur le point d'être démasqué.

Même si leur amitié était, de fait, fragilisée, Sarah n'allait pas injustement jeter à la figure de Stefen que son père avait été assassiné par sa faute. Elle ne l'accuserait pas des souffrances qu'elle avait endurées. Toutefois, il lui faudrait du temps pour lui accorder de nouveau sa pleine confiance.

— OK, Stefen, conclut-elle.

— Je te demande pardon, Sarah. Je…

— J'aurais fait la même chose à ta place, l'interrompit-elle.

— Merci…

— Je vais aller faire mon rapport.

— D'accord. Ton ancien bureau t'attend.

— Dès qu'elle ira mieux, je serai heureuse de rencontrer Hannah.

Sarah rejoignit le commissariat et passa la journée à décrire en détail les méandres de son enquête.

Les deux jours suivants, elle organisa avec sa mère et sa sœur les funérailles de son père. Le jour de l'enterrement, seuls Christopher, quelques amis de ses parents et de sa sœur étaient présents. Le comité réduit témoignait de la solitude de son père. Le prêtre prononça malgré tout un discours dont la tonalité et la teneur surprirent Sarah.

— Mes sœurs et mes frères, nous sommes ici pour dire adieu à André Vassili, époux et père. En découvrant la vie qu'a été celle d'André, il m'a semblé qu'il aurait aimé que nous évoquions ici ce qu'il a toujours tu au cours de son existence.

Le prêtre adressa un regard vers Camilla, la mère de Sarah, qui approuva discrètement.

— La déportation dont André a été victime lorsqu'il était enfant s'inscrit dans une partie de l'histoire si honteuse que même les pires acolytes de Staline ont tenu à ce que cet épisode demeure caché. Aujourd'hui, grâce notamment au rapport déclassifié d'un petit officier plus scrupuleux que les autres, nous connaissons la vérité. Mais jamais, jamais personne n'a rendu hommage à ce million d'enfants, de femmes et d'hommes dont les corps ont été martyrisés, les noms salis et les âmes brisées au nom de l'idéologie communiste. Tous ces êtres humains qualifiés d'éléments polluants que l'on a contraints à la pire des décivilisations. Qu'avaient-ils fait pour mériter un tel sort ? Une très faible minorité avait volé, tué, violé et commis les pires atrocités. Mais la seule faute des autres avait été de se trouver au mauvais endroit au mauvais moment. Ils ont été les victimes de la terrible obsession du chiffre. Victimes de ces fonctionnaires gavés de certitudes et de théories qui, d'un trait de crayon et dans leur fauteuil en cuir, avaient ordonné de déporter des millions d'individus, même les plus exemplaires, pour leur plan « grandiose ».

Sarah remarqua que le prêtre était très ému. Il sortit une feuille de sa poche.

— V. L. Novojilov. Moscovite, chauffeur à l'usine Kompressor, trois fois primé. S'apprêtait à aller avec sa femme au cinéma après sa journée de travail. Pendant qu'elle se préparait, est descendu dans la rue acheter des cigarettes. Raflé et déporté. N. V. Choudkov, membre des Jeunesses communistes. Était allé voir l'opéra *La Dame de pique* au théâtre Bolchoï. En sortant du spectacle, a été arrêté et déporté à Nazino. Avait oublié son passeport à la maison. Maslov, membre du Parti, travaillait à l'usine de gaz de Moscou. Avait invité à la maison un ami ingénieur et son beau-frère à boire un verre. Sont descendus tous les trois dans la rue acheter des hors-d'œuvre. Ont été arrêtés par une patrouille de police. N'avaient pas pris leur passeport. Déportés. L'ingénieur et le beau-frère sont morts à Nazino. Rakhametzianova, douze ans, ne parle pas russe. Était en transit à Moscou. Sa mère l'a laissée seule à la gare pendant qu'elle essayait d'acheter du pain. La fillette a été arrêtée par la police comme jeune vagabonde et déportée. Egor Slesarenko, âgé de quinze ans, apprenti cheminot à Omsk. Raflé par hasard par les gardes d'un convoi. Déporté à Nazino.

Le silence retomba sur le cimetière et le prêtre reprit :

— Après l'épisode de Nazino qui avait atteint les limites de l'inhumanité, les dirigeants soviétiques mirent un frein au programme des peuplements spéciaux. Non parce qu'ils éprouvaient des remords ou par considération pour les victimes, mais parce que cet épisode mettait trop clairement en évidence les dysfonctionnements de leur politique et sa faillite économique. Les villages spéciaux furent peu à peu abandonnés, tandis que les camps de travail et les goulags se remplissaient... Enfant, André Vassili a connu cet enfer et il a vécu parmi nous, faisant de son mieux pour survivre avec les plaies de son âme grandes ouvertes, se battant chaque jour contre lui-même pour nous épargner le visage de sa souffrance. Aujourd'hui, il est en paix et je suis certain qu'il n'aspire qu'à une chose : que sa femme et ses filles trouvent la paix également.

Au terme de son discours, le prêtre entonna un chant étrange. En l'entendant, Sarah se sentit mal à l'aise. Cette litanie était celle que les villageois avaient psalmodiée sur son passage lorsqu'ils avaient appris qu'elle se rendait à Nazino.

— Votre père a dû entendre ces notes et ces mots sur l'île du Diable, expliqua le prêtre en percevant l'inconfort de Sarah. Les survivants ont raconté que ce chant leur avait permis de donner du sens à leur souffrance et à la mort de leurs proches.

Profondément triste, Sarah remercia le prêtre d'avoir à son tour donné du sens à la mort de son père. Puis, l'une après l'autre, sa mère, sa sœur et elle passèrent devant la tombe et ouvrirent leur cœur pour adresser leurs derniers mots à celui qui avait été leur mari ou père.

À la fin de la cérémonie, Sarah demanda à ses proches de la laisser seule devant la tombe. Le jour déclinait sur le cimetière et le vent faisait bruire les feuillages. Et c'est là, alors que les mots du prêtre flottaient encore dans l'air, que Sarah en eut la soudaine confirmation : la culpabilité qu'elle éprouvait depuis toute petite était bien celle que son père lui avait transmise malgré lui. Elle n'avait jamais été coupable de rien, si ce n'est d'être la fille d'un homme hanté par la honte. Mais ce traumatisme n'était pas le sien et elle n'avait pas à en porter le fardeau. Elle était libre. Et cette fois, elle le ressentait plus fort que jamais.

Elle resta encore quelques instants devant la pierre tombale et la caressa du bout des doigts.

— Je t'aime, murmura-t-elle à l'adresse de son père.

Elle emprunta ensuite un bus en direction de son « chez-elle », son foyer.

En chemin, elle appela Thobias pour lui demander d'annuler ses analyses. Elle n'avait plus besoin de preuves physiologiques.

— Si vous voulez, Sarah. Mais j'allais justement vous appeler. Vous vous souvenez que j'avais commandé une exploration génétique de l'ADN de votre père pour comprendre l'origine de l'allergie qui l'avait tué ? Eh bien, je viens de recevoir un complément de résultat sur son épigénome. Vous savez quoi ? Son gène NR3C1 était hyperméthylé. À cause de cette hyperméthylation, le gène ne régulait plus grand-chose, provoquant des angoisses, des dépressions et des sentiments de culpabilité. Bref, je crois que même si vous ne voulez plus étudier la méthylation de votre propre gène NR3C1, vous avez la preuve que vous cherchiez.

— Je crois que le fait d'avoir découvert et compris toute l'histoire de mon père m'a mise sur la voie d'une guérison que je n'espérais plus.

— J'en suis tellement heureux.

— Merci pour tout, Thobias. À bientôt.

Sarah raccrocha.

Trente minutes plus tard, elle était devant sa maison.

C'est Simon qui vint lui ouvrir. Le petit garçon resta un instant la bouche entrouverte avant de se jeter sur elle et de la serrer par la taille. Elle le souleva dans ses bras et l'embrassa. Sarah le déposa à terre et, après l'avoir embrassé encore une fois, elle marcha vers Christopher qui était apparu sur le seuil. Elle faillit rire à l'expression d'incrédulité qui se lisait sur son visage.

— Je crois que j'ai retrouvé ma liberté. Toute ma liberté, confia-t-elle.

Il ne bougeait pas. Il n'était pas encore sûr de pouvoir s'autoriser à y croire.

Sarah se rapprocha un peu plus de lui, presque intimidée. Et s'il était trop tard pour renouer ? Et s'il s'était lassé et endurci de l'attendre ? Et si… ?

Christopher lui enveloppa les hanches et l'embrassa. Sarah vit défiler dans sa tête les épisodes de vie qu'ils avaient partagés : leur première rencontre houleuse, les risques qu'ils avaient pris l'un pour l'autre, l'enquête sur la mort de la Première ministre qui les avait éloignés, les névroses de Sarah qui l'empêchaient d'être heureuse, cette terrible journée où elle avait rejeté Christopher pour le protéger d'elle-même, et puis cet acharnement à connaître la vérité sur son père qui avait fini par la délivrer.

Oui. C'était bien ce sentiment qu'elle éprouvait aux côtés de Christopher : la délivrance.

Épilogue

Trois semaines plus tard.

— Chérie, tu peux me faire passer la pièce C23 bis, s'il te plaît…

Sarah chercha autour d'elle et finit par trouver la vis cachée sous les planches qu'elle était en train d'assembler.

— C'est bien, t'as déjà monté trois morceaux en… vingt-cinq minutes, dit-elle en tendant à Christopher la pièce dont il avait besoin. Demain, Simon pourra dormir dans une moitié de lit.

— Écoute, s'il n'avait pas sauté dessus comme un forcené quand il a découvert que tu revenais, on n'en serait pas là. Donc il sera patient.

— En même temps, il te faudrait peut-être une règle de maçon pour t'aider à faire les niveaux.

— Très drôle. Dis-moi, t'avais pas un rendez-vous chez le docteur Khong pour ton opération de reconstitution mammaire ?

Sarah regarda l'heure à la pendule de leur cuisine.

— Mince, t'as raison.

Elle fila dans leur chambre pour s'habiller. En revenant dans le salon, elle aperçut Simon dans le jardin. Emmitouflé dans un manteau d'hiver, il était en pleine discussion avec une copine d'école.

— C'est vrai qu'il a grandi.

— En tout cas, ils ont l'air de bien s'entendre tous les deux, ajouta Sarah, le sourire aux lèvres.

Christopher leva la tête.

— Regarde-moi ce Simon, on dirait un châtelain qui fait visiter son domaine à une cousine d'Amérique.

— Ils sont drôles.

Sarah enlaça Christopher et l'embrassa dans le cou.

— J'y vais, à tout à l'heure ! Et dis-moi si tu as besoin que je te rapporte une poutre ou un appareil à souder pour assurer la solidité de ta structure.

— Allez, va… Tu seras surprise en rentrant. Et n'oublie pas que ta sœur et ta mère viennent dîner ce soir.

— Je t'aime.

Sarah quitta la maison et rejoignit le centre d'Oslo.

Dans la salle d'attente, elle feuilleta distraitement quelques magazines et tomba sur un article qui évoquait l'affaire du petit Matts Helland et le procès en cours de l'inspectrice Sarah Geringën, qui s'était vite transformé en procès des services sociaux norvégiens : l'avocat dénonçait la lenteur, l'inefficacité et l'insupportable tolérance à l'égard de parents nocifs pour leurs enfants, et affirmait que, le temps que les services sociaux prennent la mesure de la situation, ce petit garçon serait également mort s'il était resté dans sa famille d'origine. Et le procureur n'avait réclamé qu'une peine avec sursis.

Sarah referma le magazine. Recueillie, elle parla en pensée au petit Matts comme elle le faisait régulièrement, espérant de tout son cœur qu'il était plus heureux là où il était aujourd'hui.

— Madame Geringën !

Le médecin en blouse blanche venait d'entrer dans la salle d'attente et la regardait avec un sourire de convenance.

Sarah reposa le magazine et salua le docteur avant d'entrer dans le cabinet.

— Bon, j'ai les résultats des différentes analyses effectuées la semaine dernière en vue de votre opération, dit le médecin.

Sarah observa un air soucieux et grave chez le docteur.

— Qu'est-ce qu'il se passe ? s'inquiéta Sarah.

— Écoutez, c'est la première fois que je suis confronté à un cas comme le vôtre.

— C'est-à-dire ?

— Eh bien, j'ai longtemps étudié votre dossier et notamment vos soucis d'infertilité et…

— Et alors ? le coupa Sarah qui ne voyait pas pourquoi il lui parlait de ce problème.

— Compte tenu de votre âge et de vos essais précédents, pour moi c'est un miracle, madame Geringën. Mais les résultats biologiques et radiographiques sont formels : vous êtes enceinte. Tenez, regardez, vous allez voir l'embryon sur le cliché abdominal.

Sarah était incapable de prendre la mesure de ce que le médecin venait de lui annoncer. Cette phrase, elle l'avait espérée des années, elle l'avait rêvée, chérie, avant d'en faire le deuil.

Mais le bonheur immense qui aurait dû s'emparer d'elle se mua en pluie de cendres.

Son corps se tétanisa d'effroi.

— Madame Geringën, tout va bien ?

Le sol se dérobait sous ses pieds. Alors qu'une panique d'une brutalité inouïe la terrassait, les preuves s'abattaient une à une devant ses yeux.

Pendant les sept jours de coma artificiel, ils avaient pu faire ce qu'ils voulaient de son corps. Et si Adrian avait tiré sur ses propres gardes, ce n'était pas pour la sauver, elle, mais pour sauver l'enfant qu'elle portait. Son enfant à *lui*, dans son ventre à *elle*.

Ce bébé qui était en train de grandir dans son corps était celui de l'assassin de son père, de l'homme qui l'avait torturée. Et pourtant, il était certainement le seul qu'elle pourrait jamais avoir de toute sa vie.

Sarah se précipita vers le lavabo du cabinet et vomit.

Le médecin accourut vers elle.

Elle le repoussa, reprit son souffle et quitta la salle de consultation.

— Madame, ne partez pas.

Sarah dépassa l'accueil d'une démarche raide, bousculant un patient qui entrait dans la salle d'attente. Une fois dehors, elle fonça dans sa voiture pour s'y enfermer.

L'air lui manquait, sa tête tournait, une boule de panique l'étouffait.

Elle hurla de douleur et de rage.

Le choix qu'Adrian lui laissait était le pire supplice qu'elle eût jamais subi. Quand elle se résignait à avorter, quelques secondes plus tard, elle rêvait de prendre dans ses bras ce bébé de la dernière chance.

La vengeance d'outre-tombe d'Adrian atteignait le sommet de la cruauté.

Il faisait déjà nuit quand elle gara la voiture devant leur maison. Elle entra discrètement, préférant éviter de voir Simon dans l'état où elle se trouvait.

Elle passa devant la cuisine, aperçut les restes d'un dîner et entendit la voix de Christopher imiter un étrange personnage. Elle entrebâilla la porte de la chambre de Simon. Christopher était assis sur un matelas posé par terre, Simon à sa gauche et sa copine de classe à sa droite. Il leur lisait un livre, le préféré de Simon, celui des grands récits de la mythologie grecque. En quelques mots, Sarah reconnut qu'il leur racontait l'histoire de Prométhée. Elle écouta Simon et son amie protester contre Zeus punissant Prométhée d'avoir apporté le feu aux hommes.

Christopher jeta un coup d'œil vers Sarah. Il promit aux enfants qu'ils débattraient de tout cela dès le lendemain au petit déjeuner. Il les embrassa et réajusta leurs couettes.

— Sarah viendra nous faire un bisou ? demanda Simon.

— Comme tous les soirs, même si vous êtes en train de dormir. Bonne nuit, les enfants, termina Christopher.

Sarah était déjà assise sur le canapé quand Christopher entra dans le salon.

— Alors, ce rendez-vous ?

— Assieds-toi, j'ai quelque chose d'important à te dire.

Inquiet, Christopher prit place à côté d'elle.

— Adrian a accompli sa vengeance avec plus de cruauté encore que je ne le pensais.

Christopher posa sa main sur le bras de Sarah. Il sentit qu'elle tremblait.

— Qu'est-ce qu'il se passe, ma chérie ?

— Alors que j'étais dans le coma, il est parvenu à me mettre enceinte… de lui.

Christopher devint blême et demeura silencieux, choqué.

— C'est impossible…

— Je ne sais pas comment il a réussi, mais le résultat est là : je suis enceinte.

Christopher serra Sarah dans ses bras, tandis qu'elle hoquetait de chagrin contre son épaule.

— Tu… Tu veux faire quoi, ma chérie ? finit par demander Christopher.

— Je ne sais pas. Je te jure que je ne sais pas… Un moment, je me dis que je ne peux pas garder l'enfant d'un tel monstre. Et l'instant d'après, je rêve de tenir ce bébé dans mes bras à tes côtés et je me dis qu'on arrivera à surmonter tout ça, à être heureux. Je ne sais pas !

Des larmes brûlantes montaient à ses yeux.

— Quoi que tu choisisses, je te suivrai, murmura Christopher.

Sarah n'avait jamais douté de l'amour que Christopher lui portait, mais à cet instant, elle en mesura une nouvelle fois la force.

Elle chercha au plus profond d'elle la réponse à son dilemme. Pendant un long moment, elle se débattit avec ce choix impossible, passant de la colère au rêve, de l'espoir à l'abattement le plus sombre. Il lui semblait qu'elle allait devenir folle.

Jusqu'à ce que les mots de son père lui reviennent. À la façon d'un souffle d'aile chassant les nuages noirs, la seule évocation de ces paroles calma l'ouragan de ses pensées. Elle s'appliqua à les réciter méticuleusement, pour elle-même.

« … Et malgré tes doutes, tes angoisses, tes peurs, tu as été grande et tu as toujours choisi le bien. Je voudrais que, quoi qu'il t'arrive, tu n'oublies jamais que tu as eu cette force. Si un jour tu perds confiance en toi, si tu ne t'estimes plus, souviens-toi de ce mot : *Timshel*, "tu peux". »

Alors, le visage grave, elle ferma les yeux.
Et sa main dans celle de Christopher, enfin libre, Sarah choisit.

Remerciements

Oui, une fois de plus, les faits historiques et scientifiques décrits au cours de cette intrigue sont bien réels. Et comme je sais que vous êtes nombreux à sortir de votre lecture l'esprit aiguisé par la curiosité, voici de quoi étancher votre soif de connaissances (ou de vérifications pour les plus suspicieux).

Si monstrueuse fût-elle, la déportation-abandon de Nazino de 1933 n'a, à ma connaissance, fait l'objet que d'un seul ouvrage : *L'Île aux cannibales*, de Nicolas Werth (Perrin, 2006). Sa narration précise, rigoureuse et très détaillée vous exposera le contexte et les faits qui vous permettront de prendre la pleine mesure de l'événement.

Ceux qui voudraient mettre des images sur cette île regarderont l'immersif documentaire de Cédric Condom, intitulé lui aussi *L'Île aux cannibales* (Kilaohm Productions, 2009). La gravité de l'événement y est palpable et les véritables témoignages des officiers de l'époque joués par des comédiens sont particulièrement saisissants.

Enfin, les internautes les plus chevronnés dénicheront sur la Toile (en cherchant bien) le rapport d'origine sur Nazino que l'officier Vassili Arsenievich Velichko a remis à Staline à l'époque des faits.

La question de la révolution épigénétique aurait, elle aussi, dû faire l'objet d'une multitude d'ouvrages grand public. Or, à l'heure où j'écris ces lignes, il en existe finalement assez peu, l'essentiel de l'information se trouvant dans des publications scientifiques accessibles sur Internet. Il existe cependant deux livres : Ariane Giacobino, *Peut-on se libérer de ses gènes ? L'épigénétique*, Stock, 2018 ; et Joël de Rosnay, *La Symphonie du vivant. Comment l'épigénétique va changer votre vie*, Les Liens qui libèrent, 2018.

À propos de liens, je voudrais remercier toutes celles et ceux qui ont contribué à l'existence de ce livre. D'abord vous, chères lectrices et chers (plus rares) lecteurs, qui avez réservé à mes romans un accueil d'une telle intensité que j'en demeurerai troublé pour longtemps. Et vous, libraires, qui conseillez mes livres avec cœur et passion. Spécial remerciement pour le volcan Caroline Vallat et son non moins fougueux collègue Antoine Mallet. Une attention toute particulière à vous, blogueuses et (plus rares bis) blogueurs, dont j'admire l'investissement (le sacrifice ?) pour faire rayonner la lecture sous toutes ses formes.

J'en viens à la forme de ce livre qui n'aurait pas été celle-là sans le précieux concours de mes éditeurs de chez XO, Bernard Fixot, Édith Leblond et Renaud

Leblond, sans le méticuleux et endurant travail de Sarah Hirsch, et sans la créativité graphique de Bruno Barbette. Mes respects également à toute l'équipe de la communication et du commercial (Stéphanie Le Foll, Mélanie Rousset, Isabelle de Charon, David Strepenne), qui se surpasse pour mieux nous faire exister, nous les auteurs.

De façon plus personnelle, merci à mon ami et premier relecteur/correcteur/« solutionneur »/« encourageur » de toujours, Olivier Pannequin.

Et enfin, ma révérence et mon amour à la source de tout, ma femme Caroline, puits sans fond de confiance et de motivation, à mes formidables filles Eva et Juliette et à toute ma famille.

POCKET N° 17077

« *Un thriller coup de poing !* »

Ici Paris

Nicolas BEUGLET
LE CRI

À quelques kilomètres d'Oslo, l'hôpital psychiatrique de Gaustad dresse sa masse sombre parmi les pins enneigés. Appelée sur place pour un suicide, l'inspectrice Sarah Geringën pressent d'emblée que rien ne concorde. Le patient 488, ainsi surnommé suivant les chiffres cicatrisés qu'il porte sur le front, s'est figé dans la mort, un cri muet aux lèvres – un cri de peur primale. Soumise à un compte à rebours implacable, Sarah va découvrir une vérité vertigineuse sur l'une des questions qui hante chacun d'entre nous : la vie après la mort...

Retrouvez toute l'actualité de Pocket :
www.pocket.fr

Composition et mise en pages
Nord Compo à Villeneuve-d'Ascq

Imprimé en France par CPI
en août 2020
N° d'impression : 3039562

Pocket – 92 avenue de France, 75013 PARIS

S30759/01